Production écrite

NIVEAUX C1 / C2
du Cadre européen
commun de référence

Mariella Causa
Bruno Mègre

didier

Références des textes

Page 53 : Matin plus DR – **54** : Corse Matin, DC – **55** : Le Journal du Dimanche, DC – **56** : Métro, DC – **69** : Le Provence, DC – **73** : Télérama, DC ; Biba, DC ; L'Officiel des Spectacles, DC ; Fémina, DC – **74** : L'Officiel des spectables, DC ; Biba, DC ; Air France Madame, DC – **78** : Fémina, DC – **92** : La Poste, DR – **97-98** : Staramis, DR – **98-99** : Bateaux Parisiens, DR – **99** : La Brioche Dorée, DR

Crédits Photographiques

Page 84 : Laurence Blanchard/Cosmopolitan – **87** : Avec tous nos remerciements à Françoise Ploquin – **92** : La Poste, DR – **97-98** : Staramis, DR – **98-99** : Bateaux Parisiens, DR – **99** : La Brioche Dorée

Nous avons cherché en vain les éditeurs ou ayants droit de certains textes ou illustrations reproduits dans ce livre. Leurs droits sont réservés aux Editions didier.

Maquette et mise en pages : Nicole Pellieux
Illustrations : Dom Jouenne

ISBN 978-2-278-06088-7
Imprimé en Italie

Sommaire

Avant-propos

Pourquoi cet ouvrage ?

Nous avons souhaité aborder les types d'écrit que l'on rencontre habituellement en français langue étrangère, que ce soit en classe ou dans le cadre d'examens. Ainsi, pour faire suite au premier ouvrage de cette même collection relative aux productions écrites de niveaux B1 et B2*, nous vous proposons d'aborder des types d'écrits académiques (le résumé et la synthèse de documents) mais également des formes d'écrits que l'on rencontre dans le quotidien (la lettre de motivation, les articles de presse...). Toutes ces productions nécessitent une attention particulière car elles ne peuvent être traitées sans un minimum de rigueur linguistique et pragmatique (essentiellement dans leur organisation). Elles supposent aussi une certaine maîtrise de la compétence discursive des différents genres textuels.

À quel public s'adresse cet ouvrage ?

Cet ouvrage s'adresse, en premier lieu, aux étudiants de niveau avancé en français langue étrangère. Il les guidera, pas à pas, dans la réalisation de ces écrits qui, souvent, effraient. L'objectif n'est pas de revenir sur des notions grammaticales car d'autres ouvrages sont conçus spécifiquement pour répondre à ces besoins. En revanche, nous insistons sur la méthodologie ainsi que sur des notions qui font trop souvent défaut et qui pénalisent un bon nombre d'étudiants et de candidats : la reformulation et l'organisation des idées (la cohésion et la cohérence textuelles).

Nous nous adressons également à nos collègues enseignants afin qu'ils puissent s'inspirer, s'ils le souhaitent, d'une méthodologie spécifique à chacun de ces types d'écrit. Cet ouvrage, en plus d'être un guide de découverte et d'entraînement, peut servir de plan de cours.

Cet ouvrage traite-t-il uniquement de production écrite ?

La production écrite est au centre de cet ouvrage. Cependant, comme vous le savez, la production écrite passe bien souvent par la compréhension de documents écrits, voire sonores. C'est pour cette raison que nous traitons, dans une partie indépendante, la reformulation.

De quels niveaux avancés s'agit-il ?

Les niveaux C1 et C2 sont définis dans le *Cadre européen commun de référence***, outil qui a permis, entre autres, la création d'échelles (ou de grilles) de niveaux de compétences communes aux langues étrangères. Voici les niveaux C1 et C2 de l'échelle globale qui définit six niveaux, toutes compétences confondues (écouter, lire, prendre part à une conversation, s'exprimer oralement en continue, écrire).

UTILISATEUR EXPÉRIMENTÉ	C2	Peut comprendre sans effort pratiquement tout ce qu'il/elle lit ou entend. Peut restituer faits et arguments de diverses sources écrites et orales en les résumant de façon cohérente. Peut s'exprimer spontanément, très couramment et de façon précise et peut rendre distinctes de fines nuances de sens en rapport avec des sujets complexes.
UTILISATEUR EXPÉRIMENTÉ	C1	Peut comprendre une grande gamme de textes longs et exigeants, ainsi que saisir des significations implicites. Peut s'exprimer spontanément et couramment sans trop apparemment devoir chercher ses mots. Peut utiliser la langue de façon efficace et souple dans sa vie sociale, professionnelle ou académique. Peut s'exprimer sur des sujets complexes de façon claire et bien structurée et manifester son contrôle des outils d'organisation, d'articulation et de cohésion du discours.

* *Production écrite B1/B2*, Dorothée Dupleix, Bruno Mègre, Éditions Didier, Paris 2007.
** *Cadre européen commun de référence pour les langues : apprendre, enseigner, évaluer,* Division des langues vivantes du Conseil de l'Europe, Éditions Didier, Paris 2001.

Le CECR détaille également les compétences spécifiques à l'écrit (voir ci-dessous).

	MAÎTRISE DE L'ORTHOGRAPHE
C2	Les écrits sont sans faute d'orthographe.
C1	La mise en page, les paragraphes et la ponctuation sont logiques et facilitants. L'orthographe est exacte à l'exception de quelques lapsus.

	COHÉRENCE ET COHÉSION
C2	Peut créer un texte cohérent et cohésif en utilisant de manière complète et appropriée les structures organisationnelles adéquates et une grande variété d'articulateurs.
C1	Peut produire un texte clair, fluide et bien structuré, démontrant un usage contrôlé de moyens linguistiques de structuration et d'articulation.

	COMPRÉHENSION GÉNÉRALE DE L'ÉCRIT
C2	Peut comprendre et interpréter de façon critique presque toute forme d'écrit y compris des textes (littéraires ou non) abstraits et structurellement complexes ou très riches en expressions familières. Peut comprendre une gamme étendue de textes longs et complexes en appréciant de subtiles distinctions de styles et le sens implicite autant qu'explicite.
C1	Peut comprendre dans le détail des textes longs et complexes, qu'ils se rapportent ou non à son domaine, à condition de pouvoir relire les parties difficiles.

	PRODUCTION ÉCRITE GÉNÉRALE
C2	Peut écrire des textes élaborés, limpides et fluides, dans un style approprié et efficace, avec une structure logique qui aide le destinataire à remarquer les points importants.
C1	Peut écrire des textes bien structurés sur des sujets complexes, en soulignant les points pertinents les plus saillants et en confirmant un point de vue de manière élaborée par l'intégration d'arguments secondaires, de justifications et d'exemples pertinents pour parvenir à une conclusion appropriée.

Il est difficile d'affirmer, tant les définitions varient d'un spécialiste à un autre, que les niveaux C1 et C2 correspondent à un niveau de maîtrise « parfaite » en langue étrangère. Il s'agit, avant tout, d'une maîtrise courante des codes écrits que tout apprenant peut atteindre.

Cet ouvrage prépare-t-il aux certifications de FLE ?

Cet ouvrage s'inscrit parfaitement dans un parcours d'apprentissage (ou d'enseignement) et sert, également, à préparer les candidats aux diverses certifications qui leur sont souvent proposées. En effet, ce livre d'entraînement est adapté aux épreuves de production écrite du DALF C1 et DALF C2* et du TCF**, que ce soit dans son format destiné à tous les publics que dans le cadre de la DAP***. Les types d'écrits proposés correspondent également à certaines épreuves proposées dans le cadre des diplômes universitaires de FLE.

---

* DELF : Diplôme d'études de langue française ; DALF : Diplôme approfondi en langue française. Il s'agit de diplômes nationaux en FLE gérés par le Centre international d'études pédagogiques (CIEP) pour le compte du ministère français de l'Éducation.
** TCF : Test de connaissance du français. Ce test, également géré par le CIEP, est reconnu, en parallèle au DELF et au DALF, par toutes les universités françaises pour intégrer un programme.
*** TCF pour la DAP : les épreuves d'expression écrite (argumentation et commentaire de données chiffrées) du TCF pour la demande d'admission préalable (procédure réservée aux étudiants non francophones qui souhaitent intégrer une licence 1 et 2 ou une école d'architecture en France) sont traitées dans la *Production écrite B1/B2*, D. Dupleix, B. Mègre, Éditions Didier, Paris 2007.

Partie 1
Les techniques transversales

Chapitre 1
La reformulation

La reformulation, qu'est-ce que c'est ?

La **reformulation** est une opération linguistique grâce à laquelle on peut reprendre, redire avec d'autres mots un énoncé sans en modifier le sens.

Pourquoi utiliser la reformulation ?

Grâce à la reformulation, nous pouvons simplifier ce qui est dit, ou le complexifier ; réduire, condenser un texte plus long (faire un résumé, par exemple), ou, au contraire, le rallonger (passer d'une brève à un article de presse, par exemple).

Quelles sont les fonctions principales de la reformulation ?

La reformulation a deux fonctions principales :

1. Elle peut être utilisée pour clarifier et nuancer sur le plan lexical, des expressions, des énoncés complexes ou pas assez transparents. Ainsi, nous sommes souvent amenés à répéter ce qui a été dit en l'introduisant par des expressions comme :

- *c'est-à-dire*
- *en d'autres mots*
- *je voulais dire par là que*
- *je m'explique*
- *je le répète*
- *quand je dis (que)*
- *vous me dites que*
- *tu veux dire*
- *ça veut dire aussi que*
- *disons*
- *donc*
- *dans le sens de*
- *autrement dit*
- *enfin*
- *de toute façon*
- *(plus) précisément*
- *en somme*
- etc.

2. La reformulation peut être utilisée pour expliquer un texte difficile (par exemple, un texte scientifique), ce qui a pour conséquence de modifier la forme de ce texte sans en changer le contenu.

Dans les deux cas, la reformulation se base sur le principe de **parenté sémantique**, c'est-à-dire que les deux textes (texte de départ et texte résultant de la réécriture) doivent avoir le même sens dans le contexte donné.

C'est surtout le second type de reformulation qui est demandé à votre niveau de français.
Dans les productions écrites que vous serez amené à réaliser à votre niveau, la reformulation est utilisée dans des exercices tels que la synthèse, le résumé, le compte rendu, autrement dit, dans tous les exercices pour lesquels il vous sera demandé de comprendre un ou plusieurs textes, de les interpréter et de rédiger votre propre texte sans recopier des parties intégrales d'origine.

La reformulation

Reformulation et évaluation de votre niveau

La reformulation est un moyen d'évaluation aux niveaux C1 et C2 dans la mesure où elle témoigne votre capacité à maîtriser la langue et ses formes, sans faire de contresens. « Reformuler » relève de votre habileté à :
- comprendre l'ensemble du texte d'origine ;
- reformuler les idées de façon appropriée au contexte donné sans en modifier le sens.

Comment reformuler ?

Les reformulations peuvent être d'une **longueur variable**. Vous pouvez, à partir d'un texte long, produire une reformulation plus brève et *vice versa.*

Le premier degré de l'activité de reformulation est en effet le synonyme. Les modifications que vous pouvez apporter peuvent en conséquence avoir une longueur qui va du **mot** à la **phrase** et peuvent se complexifier allant du **synonyme** (exemple 1, tableau, p. 10) aux changements de **thème** (exemple 2, tableau, p. 10), en passant par l'emploi des **anaphoriques** (exemple 3, tableau, p. 10). Pour ce qui concerne les anaphoriques, on en distingue trois catégories :
- la **répétition** du même « groupe nominal » (*ils… ils…* ; *le jeune homme… le jeune homme*) ;
- l'**emploi des pronoms** : pronoms personnels : *ils… ils* ; démonstratifs : *une duchesse… cette duchesse… celle-ci*, et des **adjectifs/pronoms possessifs** : *les chanteurs… leur musique* ;
- la **substitution lexicale** dans laquelle la reprise du terme se fait, par exemple, par un hyperonyme* : *le chat* → *le félin* ; par nominalisation : *Les ouvriers de Moulinex vont manifester lundi prochain* → *Cette manifestation…* ; par association accidentelle, comme dans ce dernier exemple dans lequel les termes se référant à Kruder et Dorfmeister ne sont pas des synonymes, mais renvoient à la carrière des deux chanteurs : *Kruder et Dorfmeister* (noms propres) → *Pionniers de la scène électro* → *Les deux stars internationales.*

Observons et analysons les procédés de reformulation dans chacun des trois énoncés :

1. *Les entrepreneurs disent que…* → *Les entrepreneurs soulignent que…*

Dans ce premier exemple, il y a modification du verbe : on passe du verbe « dire » au verbe « souligner ». On utilise ainsi un **synonyme**.

2. *Les syndicats ont voté hier soir la reconduction de la grève des transports.* → *Une reconduction de la grève des transports a été votée hier soir par les syndicats.*

Dans ce second exemple, la transformation est plus complexe, elle concerne tout l'énoncé. Nous sommes en effet passés tout d'abord **de la voix active à la voix passive** et ensuite (et en conséquence !), d'une **thématisation** sur les « syndicats » (c'est-à-dire l'acteur, celui qui fait l'action) à une thématisation sur la « reconduction de la grève des transports » (c'est-à-dire sur l'action, le résultat) (pour la thématisation, voir p. 52).

3. *Michel X a cambriolé le magasin de son ex-femme pendant la nuit.* → *Le voleur, qui connaissait la combinaison du coffre, a profité de la nuit entre samedi et dimanche – donc de la fermeture du*

* Rappelons que l'**hyperonyme** est le mot générique qui englobe les mots spécifiques de la même famille.
Exemple : *jouets* (hyperonyme, mot générique) → *poupée* (mot spécifique de la famille des jouets).

week-end – pour avoir tout son temps. Il a ainsi pu soustraire tout l'argent que la jeune femme aurait dû déposer à la banque lundi matin.

Dans le dernier exemple, nous avons eu recours à l'emploi d'une série d'**anaphoriques**, c'est-à-dire d'un ensemble de mots qui renvoient à une même personne : Michel X. Plus précisément : *le voleur, qui, il*; ces termes permettent d'éviter la répétition de Michel X.

La reformulation devient plus complexe lorsqu'on vous demande la réécriture complète d'un texte. Pour les textes longs, les procédés linguistiques les plus courants qui peuvent vous aider dans l'activité de reformulation sont par exemple :

L'emploi de synonymes :	Hier, le chauffeur du camion a été interpellé par la police. ➔ Hier, le camionneur a été interpellé par la police.
La nominalisation :	Le camionneur a été interpellé par la police. ➔ L'interpellation a eu lieu hier soir à 19 h 00.
Le passage de la voix active à la voix passive (et *vice versa*) :	Hier, la police a interpellé le chauffeur du camion. ➔ Le chauffeur du camion a été interpellé hier par la police.
Le passage du discours direct au discours indirect (et *vice versa*) :	Il a enfin déclaré « Nous devons tous être capables d'une telle tolérance ». ➔ Il a enfin déclaré que nous devions tous être capables d'une telle tolérance.
Le déplacement d'un ou plusieurs éléments de l'énoncé :	Les propriétaires tiendront un cahier des charges. ➔ Le syndic a demandé aux propriétaires de tenir un cahier des charges.
L'effacement d'un ou plusieurs éléments de l'énoncé :	Le syndic a demandé aux propriétaires de tenir un cahier des charges. ➔ Le syndic a demandé de tenir un cahier des charges.

Observez la nature des modifications apportées dans les textes ci-dessous par la réécriture.

Texte 1

Cambodge. La saison des mariages
Les bons comptes font les bons mariés

Autrefois les parents de la jeune fille prenaient en charge toutes les dépenses du mariage. Aujourd'hui, les frais sont répartis entre les deux familles. Ainsi, avant d'accepter l'union, les parents de la future mariée négocient avec ceux du garçon « le prix du lait », qui correspondait dans le passé aux « frais de nourrice ». Autrefois payé en bêtes, maison, terrain ou argent, il est aujourd'hui toujours acquitté en espèces. Le prix est variable et l'honneur de la famille de la fiancée en dépend. Pour les familles pauvres, il peut aller de 225 à 510 euros, tandis que dans le milieu commerçant et éduqué le prix passe à 1 021 euros et de 2 044 à 4 770 euros pour les familles urbaines. Pour s'assurer d'un partage équitable des frais de cérémonie, les familles ont tendance à consigner dans un carnet la totalité des frais engagés, du maquillage au coiffeur en passant par le bouquet, la bague et le photographe.

Matinplus, 12 décembre 2008.

Reformulation

Cambodge. La saison des mariages
Les bons comptes font les bons mariés

Si, autrefois, c'était aux parents de la mariée de payer l'ensemble des frais de mariage, aujourd'hui cette tâche incombe aux parents des deux époux qui les partagent de manière équitable. Contrairement au passé, aujourd'hui, les frais sont calculés en monnaie courante. Selon la situation des familles, le montant des frais peut aller d'environ 200 euros jusqu'à 5 000 euros.

Texte 2

Soixante-quatre ans pour recevoir une carte postale.
Postée sur le front birman, elle est passée en 1945 en Arizona, puis sur les îles de Maui, et vient d'arriver enfin au Japon !
Il aura fallu soixante-quatre longues années à cette carte postale pour parvenir à son destinataire sur l'île de Shikoku au Japon. Postée du front birman pendant la seconde guerre mondiale par le soldat Nobuchika Yamashita, la missive avait pris un moment la poussière à Nagasaki avant d'être emportée en Arizona par un combattant américain en 1945. À la mort du vétéran, vingt-cinq ans plus tard, son fils l'avait récupérée et longtemps conservée sur l'île hawaïenne de Maui puis l'avait confiée à un étudiant nippon rencontré grâce à son épouse. De retour dans l'empire du Soleil Levant, le jeune homme avait mis plus de deux ans à retrouver le destinataire, Shizuo Nagano, un ancien collègue de travail du soldat expéditeur mort en 1944. « *Je ne pensais jamais pouvoir revoir Yamashita de cette façon* » s'est extasié, très ému, le retraité de 80 ans de la préfecture de Kochi. Après plusieurs décennies de rétention, le courrier a été affranchi !

Paru dans la rubrique « Ils l'ont fait » de *Marianne*, n° 550, 3-9 novembre 2007.

Reformulation

Soixante-quatre ans pour recevoir une carte postale.
Postée sur le front birman, elle est passée en 1945 en Arizona, puis sur les îles de Maui, et vient d'arriver enfin au Japon !
Une carte postale écrite par un soldat japonais sur le front birman pendant la seconde guerre mondiale est arrivée 64 ans plus tard à son destinataire. En effet, la carte, après être restée quelque temps à Nagasaki, a été récupérée par un soldat américain, puis est passée par l'Arizona pour ensuite échoir sur l'île de Maui. C'est ici que le fils de l'ancien soldat l'a remise à un étudiant japonais qui, une fois rentré dans son pays, a cherché pendant deux ans son destinataire. Ce dernier, désormais âgé de 80 ans, a été très touché par la missive écrite par son ami mort en 1944.

Attention ! Dans les deux textes proposés ci-dessus, la reformulation réduit le contenu des textes d'origine.

Chapitre 2
L'organisation des écrits

QUE SIGNIFIE « ORGANISER SON TEXTE » ?

N'oubliez pas que vous n'écrivez pas pour vous mais pour un lecteur. Que ce soit votre enseignant, un correcteur, un ami ou un collègue, vous devez lui faciliter la lecture de votre production.

Les qualités de vos productions écrites, quelle qu'en soit la nature (résumé, synthèse, compte rendu, lettre, article…), ne peuvent pas se limiter au respect des règles grammaticales, syntaxiques et orthographiques. Vous devez également soigner l'organisation de vos idées.

Ainsi, nous vous conseillons vivement d'apporter une attention soutenue à la façon dont vous **organisez** et **articulez vos idées**.

Ces conseils sont importants car, en plus d'en faciliter la compréhension, vous rendrez votre travail agréable à lire.

Pourquoi faire un plan ?

L'élaboration d'un plan favorise la structure générale de votre travail. Vous devez savoir, avant la phase de rédaction, comment votre travail va être structuré et quels sont les éléments (idées, opinions, événements…) qui vont rythmer le cours de votre rédaction.

Comment organiser votre travail ?

L'organisation générale de votre travail dépend de trois éléments que vous devez maîtriser : les connecteurs, les paragraphes et la ponctuation.

► Regroupez vos idées

Si vous souhaitez être compris, vous devez regrouper vos idées au sein de parties et de paragraphes. En fonction de la longueur et de la nature de votre production écrite, chaque partie, chaque paragraphe contient une idée. N'hésitez donc pas à sauter des lignes à chaque fois que vous changez d'idées ou que vous apportez une nouvelle illustration. Veillez, cependant, à respecter les règles suivantes :

- l'introduction et la conclusion (quand votre production doit en contenir) doivent être séparées de deux lignes avec le développement ;
- les paragraphes doivent être séparés d'une ligne entre eux ;
- les parties (une partie regroupe plusieurs paragraphes) doivent être séparées de deux lignes entre elles ;
- les paragraphes et les parties doivent être d'une longueur plus ou moins équivalente au sein d'une même production ;
- les alinéas (retraits ou espaces par rapport à la marge, en début de paragraphe) peuvent être utilisés dans les lettres formelles.

L'organisation des écrits

► Reliez vos idées

Vous trouverez, ci-dessous, des connecteurs (ou marqueurs de relation) qui doivent vous permettre d'organiser votre travail et de lui donner du sens. Ces mots ou locutions doivent être utilisés afin de lier vos idées entre elles, que ce soit en début ou à l'intérieur de vos paragraphes.

Vous souhaitez ...	**Utilisez :**
ajouter une idée pour renforcer la précédente	Par ailleurs, ... En outre, ... De plus, ... D'une part, ... d'autre part, ... En effet, ... D'ailleurs, ... Du reste, ...
atténuer l'idée qui précède (la rendre moins forte)	Du moins, ...
attirer l'attention sur un événement en citant ou en illustrant	Notamment... En particulier... Quant à... À propos de... Au sujet de... Pour ce qui concerne...
concéder (accepter une idée d'autrui, une situation)	Certes... mais... En effet, ...
annoncer, affirmer, mettre l'emphase sur un événement particulier (faire ressortir un événement, une situation)	En fait, ... En réalité, ...
émettre des réserves ou apporter une explication contraire ou opposée à la précédente	Toutefois, ... Cependant, ... Néanmoins, ...
exclure (ne pas prendre en considération une situation particulière)	Excepté... À l'exception de... Sauf... Mis à part... Hormis...
expliquer les conséquences d'une action, d'une situation ou d'un événement	De ce fait, ... C'est pourquoi... Par conséquent, ... En conséquence, ... Pour toutes ces raisons, ... Aussi (+ *inversion verbe / sujet*), ... Ainsi, ...

L'organisation des écrits

Vous souhaitez ...	Utilisez :
opposer une idée à une autre	Or, … Contrairement à… En revanche, … Au contraire/Bien au contraire, …
présenter chronologiquement les faits afin de les rendre indépendants les uns des autres et de les hiérarchiser	Avant tout/Tout d'abord, … Ensuite, … De plus, … Enfin, …
présenter dans la même phrase plusieurs idées, opinions, avis ou une alternative	D'une part…, d'autre part… Soit… soit…
illustrer	Ainsi, … Par exemple, …
se référer à un événement ou aux paroles d'une tierce personne	Conformément à … Selon … Suivant …
résumer des faits, des idées, une décision	En bref, … Finalement, … En définitive, …
récapituler	De toute façon, … Quoiqu'il en soit, … Bref, …
conclure	Donc, … Enfin, …

► **Rythmez vos idées**

La ponctuation est à votre service : utilisez-la ! Ni trop, ni trop peu ! Ne la négligez surtout pas. Attention ! On ne ponctue pas de la même manière en français que dans d'autres langues.
La ponctuation sert à articuler mais aussi à rythmer votre travail.

Pour terminer une phrase (la majuscule est obligatoire après le point) :	.
Pour séparer deux mots, deux idées, deux exemples, deux propositions ; pour isoler une partie de la phrase (par exemple, après un connecteur) :	,
Pour séparer deux idées essentielles au sein d'une même phrase :	;
Pour annoncer une citation, une énumération, un exemple :	:
Pour indiquer une interjection, un ordre, une idée forte :	!
Pour poser une question directe :	?
Pour indiquer que la phrase est inachevée, que d'autres exemples peuvent suivre :	…

L'organisation des écrits

Pour isoler une partie de la phrase qui pourrait être supprimée, pour apporter une précision non essentielle :	( )
Pour désigner un discours direct, pour transcrire un discours oral. Attention ! On utilise toujours le double point (:) avant d'ouvrir les guillemets :	« »

La ponctuation fait aussi partie des codes culturels. Ainsi, sachez qu'en français, dans un courrier officiel (courrier administratif, lettre de plainte, lettre de motivation...), il est important de mettre une virgule après la ville de laquelle vous écrivez et après le titre de la personne à qui vous écrivez. Par exemple :

Ahmed IDRISS
25 rue de la Nation
75011 Paris

Paris, le 4 septembre 2010

Monsieur le Directeur,
....

Activités

A Voici un article tiré du magazine *L'Express*. Les paragraphes n'ont pas été respectés. À vous de les rétablir. Indiquez, à l'aide d'une barre oblique (/), les endroits où le journaliste aurait dû aller à la ligne afin d'organiser correctement son texte.

La France et l'ensemble des pays européens reculeront leur montre d'une heure dans la nuit de samedi à dimanche à l'occasion du passage à l'heure d'hiver, pratique immuable depuis 1976. Dimanche, à 03 h 00 (heure d'été) en France, il sera 02 h 00 (heure d'hiver), soit 60 minutes de sommeil supplémentaires. Par rapport à l'heure GMT, la différence ne sera plus que d'une heure au lieu de deux. Mais en raison des fuseaux horaires, il ne sera pas la même heure partout en Europe. En effet, le Portugal, la Grande-Bretagne, l'Irlande et les Îles Canaries ont une heure de moins que la France, tandis que la Grèce, la Finlande et les pays baltes sont en avance d'une heure sur l'Hexagone. Instauré en 1976 en France, le système de double horaire été-hiver avait été mis en place pour faire des économies d'énergie, en faisant coïncider les horaires d'activité avec les horaires d'ensoleillement afin de limiter les besoins en éclairage. Le changement d'heure permet d'économiser l'équivalent de la consommation d'électricité d'une ville de 250 000 habitants, comme par exemple Nantes, indique-t-on à l'Agence de l'environnement et de la maîtrise de l'énergie (Ademe). Plusieurs associations, notamment l'Association contre l'heure d'été double (ACHED), dénoncent ces changements d'heure, et des effets nocifs sur la santé (somnolence, consommation abusive de somnifères et autres calmants...) et les perturbations qu'ils provoquent sur les comportements des animaux. Ils jugent également discutables les économies d'énergies ainsi réalisées.

Passage à l'heure d'hiver dans la nuit de samedi à dimanche
Paru sur www.lexpress.fr, le 26/10/2008. © *L'Express*, 2008.

L'organisation des écrits

B **Voici un article tiré du magazine *L'Express*. La ponctuation n'a pas été respectée, à l'exception des points situés en fin de paragraphe. À vous de les rétablir. Attention ! N'oubliez pas les parenthèses (...) lorsque cela est nécessaire.**

Un chasseur espagnol a été attaqué et blessé par un ours probablement l'un des plantigrades slovènes lâchés en 2006 dans les Pyrénées françaises mercredi dans le val d'Aran Pyrénées espagnoles près de la frontière française annonce *La Dépêche du Midi* dans son édition de vendredi.

Le chasseur Luis Turmo un retraité de 72 ans a été attaqué alors qu'il participait à une battue au sanglier avec quatre autres personnes mercredi en milieu de journée à près de 1 200 mètres d'altitude indique le journal.

Griffé au bras gauche et mordu au mollet il a été hospitalisé dans la commune espagnole de Vielha Aragon où 15 points de suture lui ont été appliqués.

L'ours s'est dressé et jeté sur moi heureusement dans la chute j'ai tiré deux coups de feu en l'air je pense qu'il a eu peur et s'est enfui a déclaré le chasseur à un journaliste de *La Dépêche*.

Selon les premiers éléments de l'enquête l'ours à l'origine de l'attaque serait l'ourse Hvala lâchée dans les Pyrénées françaises en 2006.

Quatre femelles et un mâle slovènes avaient été lâchés dans les Pyrénées françaises entre le 25 avril et le 22 août 2006 dans le cadre d'un plan de restauration et de conservation décidé par le ministère de l'Écologie et très fortement critiqué par des éleveurs et des élus locaux.

Un chasseur blessé par un ours dans les Pyrénées espagnoles
Paru sur www.lexpress.fr, le 24/10/2008. © *L'Express*, 2008.

C **Voici un article tiré du site Internet *Yahoo ! Actualités*. Les connecteurs et certaines locutions ont été retirés du texte original. Afin de le rendre plus cohérent, ajoutez les termes suivants : *malgré, pour, ensuite, après que, toutefois, pour que, donc, puis*. (Attention ! Vous pouvez utiliser certains termes plusieurs fois.)**

Dunbar, Écosse : huit pompiers ont été mobilisés pour retrouver un hamster échappé. Sans succès. Deux équipes de pompiers ont utilisé une caméra couverte de chocolat et un aspirateur .... essayer de récupérer le hamster de Zoé Appleby, 6 ans. La mère de la petite fille avait contacté les pompiers .... l'animal s'est enfui vers un trou dans le plancher de la cuisine et y est resté pendant six jours. Elle a .... dû rassurer ses voisins apeurés par l'arrivée de deux camions de pompiers de Dunbar et Nawcraighall.

.... retrouver le hamster, les pompiers ont dû démonter la cuisinière et les conduites de gaz de la cuisine. .... ils ont tenté d'aspirer l'animal en plaçant une chaussette sur la buse. .... leurs efforts, le hamster n'a pas été retrouvé et les pompiers ont prévenu la Société écossaise de protection des animaux. Le hamster a .... disparu depuis huit jours.

La mère de Zoé assure que les pompiers ont fait tout ce qui était possible. « Le drame qu'a causé ce petit animal est incroyable », ajoute-t-elle. Elle espère .... que le hamster s'est construit une maison en dessous du sol avec des tubes de carton posés pour qu'il puisse y grimper.

Huit pompiers n'arrivent pas à attraper un hamster
Paru sur le site www.zigonet.com, 24/10/2008.

Partie 2

Les écrits académiques

Introduction

DIFFÉRENCES ET RESSEMBLANCES ENTRE RÉSUMÉ, COMPTE RENDU* ET SYNTHÈSE DE DOCUMENTS**

Attention ! Le résumé n'est pas un compte rendu, et la synthèse de documents n'est pas un collage de comptes rendus ou de résumés. Ces trois exercices sont bien différents les uns des autres. Voici un tableau qui vous aidera à ne pas les confondre. Vous pourrez, ainsi, identifier les différences qui existent entre ces trois exercices, mais aussi constater leurs ressemblances.

---

* La technique du compte rendu est traitée dans *La production écrite B1/B2*, D. Dupleix, B. Mègre, Éditions Didier, Paris 2007.

** Un paragraphe complet est consacré aux règles fondamentales de la synthèse de documents. Voir plus loin dans ce même chapitre.

	Combien de documents déclencheurs y a-t-il ?	Puis-je reprendre des phrases du document déclencheur ?	Puis-je donner mon opinion ?	Puis-je utiliser le pronom personnel « je » ?	Quelle doit être la réduction du document déclencheur ?	Dois-je faire une introduction et/ou une conclusion ?	Puis-je organiser les idées à ma manière ?	Quelle est la nature du document déclencheur ?
RÉSUMÉ	Un seul	Non. En revanche, vous devez reprendre les mots clés.	Non.	Oui, seulement si l'auteur l'utilise. N'oubliez pas : vous vous mettez à la place de l'auteur.	Votre résumé doit faire 1/4 de la taille initiale du document déclencheur (tolérance de 10 % en plus ou en moins de mots).	Non. Ni introduction, ni conclusion.	Non. Vous devez respecter l'ordre des idées de l'auteur.	Littéraire (récit, texte d'opinion ou descriptif, journalistique).
COMPTE RENDU	Un seul	Non. En revanche, vous devez reprendre les mots clés.	Non.	Non. N'oubliez pas : vous rendez compte de la pensée de l'auteur.	Votre compte rendu doit faire 1/3 de la taille initiale du document déclencheur (tolérance de 10 % en plus ou en moins de mots).	Seulement une courte introduction. Pas de conclusion.	Oui, vous êtes invité à organiser, à votre manière, les idées essentielles soutenues par l'auteur.	Journalistique (argumentatif, descriptif).
SYNTHÈSE DE DOCUMENTS	Plusieurs (3 à 5)	Non. En revanche, vous devez reprendre les mots clés.	Non.	Non. N'oubliez pas : vous rendez compte de la pensée de ou des auteur(s).	Le nombre de mots que vous devez respecter sera clairement indiqué dans la consigne (ou le sujet). D'une façon générale, une synthèse de documents ne dépasse pas les 270 mots.	Seulement une courte introduction. Pas de conclusion (sauf si elle vous est demandée dans la consigne). En revanche, on peut vous demander de donner un titre à votre synthèse de documents (c'est le cas, notamment, pour l'examen du DALF C1).	Oui, vous êtes invité à organiser, à votre manière, les idées essentielles soutenues par le ou les auteur(s).	Journalistique, tableau, graphique (données chiffrées), caricature.

Légende : ▨ Ressemblances
☐ Différences

Chapitre 3
Le résumé

Avertissement

La technique du résumé garde une place importante dans l'apprentissage du français : il est régulièrement enseigné dans les niveaux avancés car il permet de maîtriser toutes formes de reformulation de textes et d'articles.

Le résumé
- est demandé par de nombreux enseignants de français langue étrangère dans le cadre d'examen ;
- fait partie des exercices classiques rencontrés, **à l'oral comme à l'écrit** (résumé de films, de textes, d'articles, de dialogues…), dans un parcours d'apprentissage du français ;
- est très présent dans les universités et les lycées français (français langue maternelle) ainsi que dans le cadre des concours de la fonction publique française ;
- peut être considéré comme une étape vers le compte rendu ou la synthèse de documents ;
- est un excellent exercice de reformulation et donne à l'étudiant une solide méthodologie en production écrite (repérages, hiérarchisation et organisation des informations essentielles et secondaires). Il permet également de distinguer les informations accessoires (pas nécessaires à la compréhension générale du texte) ;
- peut être effectué à partir de textes littéraires (récits, descriptifs) ou d'articles de presse (informatifs ou argumentatifs).

Le résumé, qu'est-ce que c'est ?

L'étudiant doit, à partir d'un document écrit, restituer, avec ses propres mots, les idées essentielles de l'auteur en respectant scrupuleusement le plan initial du document déclencheur. **L'étudiant doit se mettre à la place de l'auteur et ne peut donc, en aucun cas, donner son opinion : il doit strictement respecter la pensée de l'auteur. Il est lui-même l'auteur.**

Le résumé va permettre, à votre enseignant ou à un jury d'examen, d'évaluer vos capacités à :
- respecter la structure du texte ;
- vous approprier la pensée de l'auteur ;
- faire preuve d'esprit de synthèse ;
- faire preuve d'objectivité ;
- organiser et articuler les idées que vous exposez ;
- soigner la qualité linguistique de votre français.

Étant donné que vous devez respecter scrupuleusement la structure, l'organisation et le contenu du document déclencheur, votre résumé sera uniquement composé d'un développement (pas d'introduction, ni de conclusion).

Le résumé

LE SUJET ET LE DOCUMENT DÉCLENCHEUR DU RÉSUMÉ

Le sujet du résumé est, d'une façon générale, toujours le même. Il ressemble souvent à ceci :

> Vous ferez un résumé du texte suivant.
> *Règle de décompte des mots : est considéré comme mot tout ensemble de signes placés entre deux espaces. → « c'est-à-dire » = 1 mot ; « un bon sujet » = 3 mots ; « Je ne l'ai pas vu depuis avant-hier » = 7 mots.*
>
> Un écart de 10 % en plus ou en moins est toléré. Vous indiquerez, en marge de votre production, le nombre de mots par paragraphe ainsi, qu'en fin de résumé, le total général.

Le document déclencheur a une longueur de 700 à 900 mots. Vous devrez réaliser un résumé dont la longueur est comprise, en fonction de la longueur du document déclencheur, entre 180 et 250 mots. La consigne vous indiquera rarement le nombre de mots que vous devez rédiger dans votre production. C'est donc à vous de faire ce calcul de réduction au quart (1/4).

En français langue étrangère (FLE), le document déclencheur est généralement tiré de la presse écrite, et il s'agit le plus souvent d'articles d'opinion (argumentatifs) ou informatifs. Quelquefois, cependant, surtout au niveau C2, vous pouvez être invité à résumer un texte littéraire extrait d'un roman, voire d'un essai.

RÈGLES GÉNÉRALES

Voici les règles générales du résumé. Respectez-les tout au long de votre travail.

- **Respectez, si l'auteur l'utilise, la première personne du singulier et du pluriel** (*je, nous*) : vous devez vous mettre à la place de l'auteur. Si le document déclencheur est à la première personne, reprenez-la à votre compte.
- **Évitez absolument de recopier des phrases du document support :** vous devez vous exprimer avec vos propres mots. Ne citez pas non plus de passages du document : synthétisez les idées qui vous paraissent importantes et reformulez-les.
- **Respectez la longueur de votre résumé :** vous ne devez pas excéder le nombre de mots qui vous est donné dans le sujet (une marge de 10 % de mots, en plus ou en moins, est toutefois tolérée). Au-delà, ou en deçà, vous risquez d'être pénalisé.
- **Respectez la règle générale du plan :** votre plan doit être linéaire et respecter l'ordre chronologique des idées de l'auteur.
- **Articulez votre travail en fonction de la pensée de l'auteur :** articulez chacune des parties et des idées les unes avec les autres. Utilisez les marqueurs de relation et les connecteurs que vous connaissez.
- **Facilitez la lecture de votre résumé à votre lecteur** (un correcteur, votre professeur) : présentez correctement votre résumé (chaque partie doit être détachée de la suivante par une ligne ; l'écriture doit être soignée, les marges respectées ; la ponctuation utilisée).
- **Chacune de vos idées doit être traitée dans une partie bien spécifique :** lorsque vous passez à une partie suivante, vous devez y exposer une idée différente, et ainsi de suite.

Le résumé

Les critères d'évaluation de mon travail

Votre travail sera évalué à partir de deux groupes de critères :

- **Critères pragmatiques :** le respect des règles du résumé de texte (sélection, reformulation et articulation des idées essentielles et secondaires, organisation de votre travail).
- **Critères linguistiques :** le respect des règles grammaticales, orthographiques, syntaxiques, morphosyntaxiques et lexicales de votre français.

Ces deux grands groupes possèdent chacun des critères spécifiques. Voici deux tableaux qui vous permettront :
- d'identifier les critères d'évaluation utilisés par votre enseignant ou par les correcteurs ;
- de comprendre à quoi ils correspondent ;
- d'identifier les améliorations que vous pouvez apporter.

1. Critères pragmatiques

Quels sont les critères utilisés par le correcteur pour évaluer ma production ?	Que dois-je faire pour répondre à ces critères ?
Respect de la consigne	• **Lisez et relisez la consigne :** le nombre de mots contenus dans le document déclencheur vous sera donné. Faites votre division au 1/3 afin d'avoir une idée précise de la longueur de votre résumé. • **Lisez et relisez le document déclencheur :** ne vous découragez pas si vous ne comprenez pas tous les mots ou toutes les expressions. Essayez d'en comprendre le sens général. • **Prenez le temps**, au cours de vos lectures, de faire un plan et, pendant la rédaction de votre résumé, de le respecter scrupuleusement. • **Soyez certain de bien connaître les règles** du résumé de texte. • **Gardez-vous du temps**, en fin d'épreuve, pour compter les mots de votre résumé.

Quels sont les critères utilisés par le correcteur pour évaluer ma production ?	Que dois-je faire pour répondre à ces critères ?
Compréhension et reformulation	• **Lisez et relisez le document déclencheur** pour être sûr de bien en saisir le sens. • **Soyez sûr de différencier l'essentiel de l'accessoire** (le « non essentiel »). • **N'oubliez aucune idée** essentielle. • **Faites preuve d'esprit de synthèse :** allez directement à l'essentiel! Ne risquez pas de vous perdre dans des explications superficielles, inutiles et hors sujet. • **Ne recopiez pas de phrases du document.** Utilisez vos propres mots. • **Réemployez les mots clés.** • **Vos idées doivent toutes respecter la pensée de l'auteur.** • **N'oubliez pas ! Vous devez vous mettre à la place de l'auteur.**
Organisation du plan	• **Faites preuve d'organisation :** respectez la chronologie du document déclencheur. Vous devez suivre, de façon linéaire, les idées de l'auteur. • **Faites preuve de logique :** traitez une idée essentielle après l'autre. Ne les mélangez pas les unes aux autres. Vous éviterez ainsi les répétitions.
Cohérence et articulation des idées, des opinions et des illustrations	• **Soignez votre présentation :** détachez bien physiquement les différents paragraphes (s'il y en a) de votre développement. • **Utilisez absolument des connecteurs**, des marqueurs de relations pour articuler les idées entre elles. • **Attention cependant !** Choisissez exclusivement des connecteurs dont vous connaissez la signification. Dans le cas contraire, vous risqueriez de produire un travail incohérent. • **Utilisez des conjonctions de coordination** pour articuler vos phrases les unes avec les autres.

2. Critères linguistiques

Quels sont les critères utilisés par le correcteur pour évaluer ma production ?	Quelles sont les règles grammaticales que je dois suffisamment maîtriser pour répondre à ces critères ?
Degré d'élaboration des phrases	• **Les temps verbaux (conjugaison et utilisation) :** notions du présent, du passé et du futur. • **Les modes (indicatif, conditionnel, subjonctif...) et les concepts qui y sont rattachés :** comment exprimer la condition, les sentiments, la volonté, le doute, l'opinion, le jugement, la déclaration, la nécessité, l'hypothèse... • **Les pronoms personnels (sujets et objets) :** leur utilisation et leur place dans la phrase. • **Les prépositions.**
Maîtrise et étendue du vocabulaire	• **Le lexique (noms, adjectifs, adverbes, verbes) :** votre connaissance du lexique doit correspondre à votre intention d'énonciation. C'est-à-dire que vous devez maîtriser un nombre suffisant de mots, de termes et d'expressions (idiomatiques ou non) afin de faire correctement passer votre message. • **Votre lexique doit être en adéquation avec le ton (humoristique, ironique, impératif...)** que vous désirez donner à votre essai.
Morphosyntaxe	• **Les accords en genre et en nombre :** noms, pronoms, adjectifs, participes passés. • **Les conjugaisons verbales :** terminaisons verbales en fonction des temps et des modes utilisés et en fonction du pronom personnel utilisé (*je, tu, il, elle, on, nous, vous, ils, elles*). • **Les terminaisons verbales :** évitez de confondre les terminaisons des infinitifs, des participes passés et des verbes conjugués.
Orthographe	• **L'orthographe usuelle :** connaissance suffisante des règles orthographiques (par exemple, les doubles consonnes, les accents...).
Ponctuation	• **Les majuscules :** n'oubliez pas les majuscules, même si elles n'existent pas dans votre langue maternelle (arabe, chinois, japonais, coréen...). • **La ponctuation :** votre travail doit être ponctué (ni trop, ni trop peu). La ponctuation : – facilite la lecture d'un essai, – donne de la cohérence à votre travail, – permet d'éviter les phrases trop longues (qui risquent d'être difficilement compréhensibles, voire incohérentes).

La méthode de travail

Le résumé ne se limite pas à sa rédaction (comme pour tout travail de production écrite : compte rendu, essai argumentatif, article, éditorial...). Afin de vous faciliter la réalisation de cet exercice, nous vous conseillons de suivre les quatre étapes suivantes :

1. Lecture du document déclencheur
2. Repérages des éléments
3. Élaboration d'un plan
4. Rédaction

Regardons ces étapes l'une après l'autre.

1. Lecture du document déclencheur

La lecture du document déclencheur est capitale car elle détermine l'organisation et la qualité de votre production. C'est pour cela que nous vous conseillons de lire le document au moins 3 fois. N'oubliez pas que, lors de la rédaction, vous devez scrupuleusement respecter :
– la chronologie du document ;
– les informations qui y figurent.

Attention !

Il est possible que vous ne compreniez pas tous les mots ou toutes les expressions utilisés dans le document. Ne vous en faites pas ! Cela ne signifie pas que vous allez échouer à votre examen :
- Essayez d'en comprendre le sens global.
- Portez votre attention sur le contexte général du document ou sur l'idée développée par l'auteur.
- Poursuivez votre lecture.
- Relisez le document ou le passage en question.

Le plan que l'auteur a utilisé pour rédiger son article ou son texte littéraire doit vous servir pour élaborer le vôtre, c'est-à-dire celui de votre résumé. Pour cela, vous allez devoir déterminer, lors de cette étape, quelles sont les différentes parties du document déclencheur.

2. Repérage des éléments : découpage du document déclencheur

Vous allez, dans cette deuxième étape, isoler les différentes idées du document déclencheur : vous découpez en quelque sorte le document. Ce découpage (qui se fait au cours des différentes lectures) doit servir à :
– **isoler, les unes des autres, les différentes idées (opinions, descriptions, informations...) que l'auteur a transmises dans son texte.** Ne vous fiez pas trop aux différents paragraphes du document déclencheur. En effet, certains paragraphes peuvent contenir différentes idées. Mais une seule idée peut aussi se trouver dans deux, voire trois, paragraphes ;
– **isoler les connecteurs que l'auteur a utilisés pour articuler son document.** Vous allez devoir, lors de la phase de rédaction du résumé, respecter la logique du document déclencheur : chronologie et liens entre les différentes idées.

Le résumé

Durant vos différentes lectures du document déclencheur, il sera nécessaire de dégager les éléments suivants :

- **Les idées essentielles :** ce sont celles qui véhiculent les idées ou les informations les plus importantes que l'auteur a voulu transmettre au lecteur. C'est à vous de déterminer ce qui est essentiel et ce qui est accessoire (inutile à la compréhension globale des différentes idées essentielles). Aucune idée essentielle ne doit être mise de côté car elles structurent votre travail et vous permettent d'élaborer le plan.
- **Les idées secondaires :** elles permettent de soutenir, d'illustrer le développement. À l'étape de la rédaction, les idées secondaires vous apporteront les éléments nécessaires au développement des idées essentielles. Comme pour les idées essentielles, des idées secondaires peuvent se retrouver dans le document. Si les idées essentielles peuvent être comparées au squelette de votre résumé, les idées secondaires en constituent le muscle.
- **Les mots clés :** ces mots (ou groupes de mots), pris de façon isolée, doivent tous être rattachés aux idées essentielles, à leur sens. Le repérage des mots clés se fait au fur et à mesure de la lecture du document et de l'élaboration du plan.

Il vous appartient, à l'aide d'un stylo, tout au long de vos lectures, de **souligner**, **encadrer**, **surligner**, **entourer** ces différents éléments. Grâce au travail de repérage, vous pourrez, ensuite, élaborer votre plan.

Nous pouvons schématiser cette étape de repérage de cette manière :

Document déclencheur

Bla bla bla bla bla bla bla bla bla bla bla bla bla bla bla bla bla bla bla bla bla bla bla bla bla bla
bla bla bla bla bla bla bla bla bla bla bla bla bla bla bla bla bla bla bla bla bla bla bla bla bla bla
bla bla bla bla bla bla bla bla bla bla bla bla bla bla bla bla bla bla bla bla bla bla bla bla bla bla
bla bla bla bla bla bla bla bla bla bla bla bla bla bla bla bla bla bla bla bla bla bla bla bla bla bla
bla bla bla bla bla bla bla bla bla bla bla bla bla bla bla bla bla bla bla bla bla bla bla bla bla bla
bla bla bla bla bla bla bla bla bla bla bla bla bla bla bla bla bla bla bla bla bla bla bla bla bla bla
bla bla bla bla bla bla bla bla bla bla bla bla bla bla bla bla bla bla bla bla bla bla bla bla bla bla
bla bla bla bla bla bla bla bla bla bla bla bla bla bla bla bla bla bla bla bla bla bla bla bla bla bla
bla bla bla bla bla bla bla bla bla bla bla bla bla bla bla bla bla bla bla bla bla bla bla bla bla bla
bla bla bla bla bla bla bla bla bla bla bla bla bla bla bla bla bla bla bla bla bla bla bla bla bla bla
bla bla bla bla bla bla bla bla bla bla bla bla bla bla bla bla bla bla bla bla bla bla bla bla bla bla
bla bla bla bla bla bla bla bla bla bla bla bla bla bla bla bla bla bla bla bla bla bla bla bla bla bla
bla bla bla bla bla bla bla bla bla bla bla bla bla bla bla bla bla bla bla bla bla bla bla bla bla bla
bla bla bla bla bla bla bla bla bla bla bla bla bla bla bla bla bla bla bla bla bla bla bla bla bla bla
bla bla bla bla bla bla bla bla bla bla bla bla bla bla bla bla bla bla bla bla bla bla bla bla bla bla
bla bla bla bla bla bla bla bla bla bla bla bla bla bla bla bla bla bla bla bla bla bla bla bla bla bla
bla bla bla bla bla bla bla bla bla bla bla bla bla bla bla bla bla bla bla bla bla bla bla bla bla bla
bla bla bla bla bla bla bla bla bla bla bla bla bla bla bla bla bla bla bla bla bla bla bla bla bla bla
bla bla bla bla bla bla bla bla bla bla bla bla bla bla bla bla bla bla bla bla bla bla bla bla bla bla
bla bla bla bla bla bla bla bla bla bla bla bla bla bla bla bla bla bla bla bla bla bla bla bla bla bla
bla bla bla.

Bla bla bla : idée 1 Bla bla bla : idée 3
Bla bla bla : idée 2 Bla bla bla : idée 4

RAPPEL !

Que faire des idées accessoires que l'on retrouve dans le document déclencheur ?

Les idées accessoires sont, généralement, des éléments introduits par l'auteur qui vont servir à exemplifier, illustrer des idées essentielles ou secondaires. Certaines fois encore, l'auteur peut répéter une idée ou une information d'une autre manière afin d'en souligner le caractère important : il s'agit d'une mise en valeur.
Il est important, en marge du travail de repérage que vous effectuez (mots clés, thème général, idées essentielles, idées secondaires), d'isoler toutes les informations qui n'apportent rien à la compréhension générale du document mais qui ne font, par exemple, que l'illustrer. N'oubliez pas que vous devez respecter un nombre défini de mots. C'est en mettant de côté les éléments superflus des documents déclencheurs que vous ferez preuve, également, d'esprit de synthèse.

3. Élaboration d'un plan

Le repérage des idées essentielles et des idées secondaires va vous permettre d'élaborer relativement rapidement votre plan. Attention ! C'est à vous d'articuler les idées essentielles soutenues par l'auteur en fonction :
– de la chronologie exacte du document déclencheur (vous devez absolument respecter l'ordre des idées, telles qu'elles apparaissent dans le document déclencheur) ;
– des connecteurs utilisés par l'auteur lui ayant servi à organiser ses idées, ses paragraphes.

Écrivez votre plan en nominalisant* vos idées essentielles et vos idées secondaires (évitez les longues phrases). Ceci vous permettra d'élaborer votre plan et de suivre, pas à pas, les idées de l'auteur sans rien oublier. Sélectionnez et écrivez, sous forme synthétique et nominalisée, les informations que vous allez utiliser pour la dernière partie de votre travail : la rédaction.

Document déclencheur	Élaboration du plan
Bla bla bla bla bla bla bla bla bla bla bla bla bla bla bla bla bla bla bla. Bla bla, bla bla bla. Bla bla bla, bla bla, bla bla bla bla bla. Bla. Bla bla bla bla bla bla bla bla bla bla bla bla bla bla bla bla bla bla bla bla bla. Bla bla, bla bla bla. Bla bla	Idée 1 : Bla bla bla bla bla Idées secondaires : Bla bla bla bla bla Idées secondaires : Bla bla bla bla bla
bla, bla bla, bla bla bla bla bla. Bla. Bla bla bla bla bla bla bla bla bla bla bla bla bla bla bla bla bla bla. Bla bla, bla bla bla. Bla bla bla, bla bla, bla bla bla bla bla. Bla Bla bla bla bla bla bla bla bla bla bla bla bla bla bla bla bla bla. Bla bla, bla bla bla. Bla bla bla, bla bla, bla bla	Idée 2 : Bla bla bla bla bla Idées secondaires : Bla bla bla bla bla Idées secondaires : Bla bla bla bla bla
bla bla bla. Bla Bla bla bla bla bla bla bla bla bla bla bla bla bla Bla bla bla bla bla bla bla bla bla bla bla bla bla bla bla bla bla bla bla. Bla bla, bla bla bla. Bla bla bla, bla bla, bla bla bla bla bla. Bla. Bla bla bla bla bla bla bla bla bla bla bla bla bla bla bla bla bla bla bla. Bla bla, bla bla bla. bla bla. Bla bla, bla bla bla. Bla bla bla, bla bla, bla bla bla	Idée 3 : Bla bla bla bla bla Idées secondaires : Bla bla bla bla bla Idées secondaires : Bla bla bla bla bla
bla bla. Bla. Bla bla bla bla bla bla bla bla bla bla bla bla bla bla bla bla bla bla bla. Bla bla, bla bla bla. bla bla. Bla bla, bla bla bla. Bla bla bla, bla bla, bla bla bla bla bla.	Idée 4 : Bla bla bla bla bla Idées secondaires : Bla bla bla bla bla Idées secondaires : Bla bla bla bla bla

* Veuillez vous référer au chapitre consacré à la reformulation, p. 9, afin de comprendre ce qu'est la nominalisation.

Le résumé

Activités

Différents documents vont vous être présentés pour que vous puissiez vous entraîner à la technique du résumé. Nous vous recommandons, dans un premier temps, de faire les activités qui vous sont demandées. Toutefois, une fois la technique maîtrisée, nous vous recommandons de faire des résumés complets de tous les textes ci-après.

A Lire et découper un document afin d'élaborer le plan du résumé.

À partir de ce document de 186 mots :

a. soulignez les mots clés ;

b. entourez les connecteurs et les articulations du texte ;

c. isolez les différentes parties ;

d. nominalisez (résumez sans faire de phrase) chacune de ces parties.

TEXTE 1

VOILÀ un livre qui explique finement comment la cellule familiale est devenue un sac de nœuds (*Quand la famille s'emmêle*, Hachette Littératures). Son auteur, le psychiatre Serge Hefez, ne traque pas les coupables. Il ne donne pas de recette et se garde de céder à la nostalgie d'un ordre trop repassé. Il ne dénonce ni le carcan des règles ni l'absence de repères. Il énonce juste une vérité assez peu confortable : nous souffrons collectivement du « poids écrasant de l'amour et du bonheur ». Devenue un conglomérat d'individus sommés de s'épanouir de façon autonome, la famille n'est plus un cadre rigide, mais une machine à dispenser, paradoxalement, à la fois de l'amour et de la liberté. Mouvante, fragile, protéiforme, elle repose aujourd'hui presque exclusivement sur le lien affectif : on peut, ou on croit, pouvoir le rompre d'un claquement de doigts mais on peut aussi s'y retrouver ficelé, comme l'explique Serge Hefez. En réalité, cet amour fusion crée une dépendance déchirante, et toute rupture, souligne-t-il, prend des accents de tragédie. Entre la famille institution et la famille désir, conclut le thérapeute, il faut inventer de nouveaux liens.

Sac de nœuds

Paru dans www.lexpress.fr, le 08/11/2004. © Jacqueline Rémy, *L'express*, 2004.

B Lire et découper un document afin d'élaborer le plan du résumé.

À partir de ce document de 448 mots :

a. soulignez les mots clés ;

b. entourez les connecteurs et les articulations du texte ;

c. isolez les différentes parties ;

d. élaborez un plan complet (idées principales et idées secondaires).

TEXTE 2

Le mouvement des « Amoureux au ban public » organise ce 14 février la première Saint Valentin des couples mixtes : une journée de sensibilisation aux difficultés qu'ils rencontrent pour se marier et faire obtenir des papiers au conjoint étranger.

Charlotte et Dany se sont rencontrés pendant leurs études à Saint-Pétersbourg. Lorsque la jeune lyonnaise et son ami syrien se fiancent au bord de la Neva, en trinquant à la vodka, ils sont loin d'imaginer les épreuves qui les attendent. Arrivé en France en février 2006 avec un visa touristique, Dany patiente d'abord 8 mois avant de pouvoir se marier avec Charlotte. Ils pensent alors que leur affaire est réglée. Mais il faut encore prouver 6 mois de vie commune pour obtenir un titre de séjour, et les délais de délivrance sont plusieurs fois repoussés. Après presque deux ans d'attente, d'incertitude et de crainte des contrôles policiers, Dany obtient finalement ses papiers.

Des histoires comme celle-ci, la Cimade, association d'aide aux étrangers, en entend tous les jours. D'où l'impulsion d'un mouvement des « Amoureux au ban public » en juin dernier, pour permettre aux couples mixtes de confronter leurs difficultés et les faire connaître au grand public. Le premier collectif voit le jour à Montpellier. Six mois plus tard, 800 couples sont mobilisés. Et lancent demain leur première journée de sensibilisation, la « Saint Valentin des couples mixtes ». Au programme : célébration de vingt mariages fictifs à Lyon, bals populaires à Montpellier ou Béziers, banquet à Marseille, manif à Bobigny devant la préfecture de Seine-Saint-Denis.

« Les couples mixtes sont confrontés à des difficultés croissantes », déplore Nicolas Ferran, coordinateur national du mouvement et salarié de la Cimade. La présomption de mariage blanc est quasi systématique. Les maires ou les consuls demandent, en effet, de plus en plus d'enquêtes administratives préalables au mariage. Des enquêtes initialement prévues pour vérifier le consentement mutuel. Des enquêtes qui durent souvent des mois, en laissant les couples dans des situations incertaines, comme Dany et Charlotte. Des enquêtes qui, lorsqu'elles sont menées en France, peuvent conduire à l'arrestation du conjoint sans papiers et à son expulsion. Rien qu'au mois de janvier, huit personnes placées en centre de rétention à Lyon étaient sur le point de se marier.

Pour lutter contre ce qu'ils estiment être une atteinte à la liberté matrimoniale, plus de cent couples mixtes ont saisi le Conseil constitutionnel en novembre 2007. En avril prochain, le mouvement des Amoureux au ban public lancera des États Généraux pour regrouper les revendications des conjoints et changer la loi. Et si cela ne suffit pas, ces amants rebelles prévoient de saisir la Cour européenne des droits de l'homme dans le courant de l'année [...].

Saint Valentin : des amoureux au ban public
Paru dans www.lexpress.fr, le 14/02/2008. © Alice Pouyat, *L'Express*, 2008.

C Lire et découper un document afin d'élaborer le plan du résumé.

À partir de ce document de 633 mots :

a. isolez les différentes parties ;
b. soulignez les mots clés ;
c. entourez les connecteurs et les éléments d'articulation ;
d. élaborez un plan complet (idées principales et idées secondaires).

TEXTE 3

Un homme sur trois a un salaire inférieur à celui de sa femme

[...] Dans 67 % des couples, l'homme continue de dominer financièrement. « Il y a toujours un fossé entre le discours et le passage à l'acte », observe le sociologue Jean-Claude Kaufmann. Beaucoup d'hommes supportent encore mal l'idée de gagner moins que leur femme, a fortiori d'en dépendre. « En usurpant un avantage financier, précise l'historien André Rauch, auteur de *L'Identité masculine à l'ombre des femmes* (Hachette), non seulement elle le prive de son rôle protecteur et l'affecte dans son identité masculine, mais elle le discrédite vis-à-vis de ses pairs. » Aux yeux de beaucoup, l'argent reste majoritairement associé au pouvoir, et le pouvoir, à l'homme [...]. « Un homme dépassé par la condition de sa femme aura l'impression de perdre son identité masculine et ses compétences sexuelles », déplore le sociologue Serge

Chaumier. […] Nicolas a quitté son job de consultant pour créer sa PME. « Pour pouvoir développer son activité, il est obligé de réinvestir tout ce qu'il gagne dans la société », explique sa compagne, Sophie, qui occupe un poste important dans l'administration. « Personnellement, ça ne me pose aucun problème. Ce qui importe, c'est que Nicolas s'épanouisse professionnellement. Mais mes parents s'imaginaient que j'allais épouser un polytechnicien ou un énarque… ».

À les entendre, le problème vient toujours du regard des autres. Peu de ces couples différents acceptent de témoigner à visage découvert. Pourtant, les revenus ne sont pas le seul indicateur d'une réussite sociale ou personnelle. […] Paradoxalement, ce sont peut-être les femmes qui, dans ces nouveaux couples, attachent le plus d'importance à l'argent, gage de leur indépendance.

Une enquête réalisée en 2002 par la Caisse d'épargne démontre que, pour elles, l'exercice d'un métier rime, dans 60 % des cas, avec l'indépendance. Dans la loi, l'autonomie financière des femmes, il est vrai, est une conquête récente. « Les hommes élevés sur le modèle patriarcal vivent généralement moins bien le différentiel de salaire que ceux qui sont imprégnés du discours d'égalité des sexes, explique Serge Chaumier. Tout dépend surtout du contrat que le couple passe au départ. » Sur ce sujet, Mercedes Erra, présidente d'Euro-RSCG, peut savourer sa chance : son compagnon, Jean-Paul Valz, est entièrement acquis à la cause des femmes. « Jamais je n'ai regardé une femme de tête comme une bête curieuse. Pour moi, les femmes ont autant le droit de réussir que les hommes. » Jean-Paul ne se contente pas de beaux discours. En 1995, il a décidé d'arrêter de travailler pour s'occuper de la maison, de ses cinq fistons… Et de sa superwoman. « Je ne me suis pas sacrifié, tient-il à préciser. J'ai vraiment eu la vie que je voulais. Pour moi, la famille vaut plus que tout le reste. »

Un point de vue partagé par la grande majorité des Français. À une époque où les couples sont devenus moins pérennes, 72 % des femmes et 63 % des hommes continuent de considérer la famille comme une valeur centrale dans leur vie. On peut même d'autant plus l'investir qu'elle est plus « choisie » qu'autrefois. Les hommes qui décident de s'occuper de leur foyer constituent une espèce rare mais plutôt tendance. Paul est de ceux-là. Marié et père de trois enfants, cet informaticien de 37 ans dit avoir toujours accordé la priorité à son foyer. « Cela m'a contraint à quelques sacrifices, reconnaît-il. J'ai renoncé à terminer mes études, refusé plusieurs promotions, mais je ne le regrette pas. Si j'avais fait carrière comme ma femme, avocate au barreau des Hauts-de-Seine, j'aurais eu un salaire plus élevé, certes, mais j'aurais aussi été plus stressé et moins disponible. Là, à 16 h 30, je suis tranquille ! » Façon de parler. Car, à peine rentré à la maison, Paul entame sa seconde journée. « S'occuper des tâches ménagères fait partie des choses de la vie, qu'on soit un homme ou une femme », affirme-t-il. […]

Quand il gagne moins qu'elle
Paru dans www.lexpress.fr, le 21/01/2005. © Élodie Cheval, *L'Express*, 2005.

D Faire un résumé complet en respectant toutes les étapes d'élaboration.

Faites un résumé complet du document déclencheur proposé. Respectez toutes les étapes qui sont décrites dans la méthodologie proposée dans cet ouvrage (repérage des mots clés, des connecteurs et des marqueurs de relation, découpage du document déclencheur, élaboration d'un plan). Ce document comporte 640 mots.

TEXTE 4

ENQUÊTE SUR CES SOCIÉTÉS QUI CHERCHENT À GARDER LEURS QUINQUAS.
MÊME SI ELLES RESTENT ENCORE MINORITAIRES, LE MOUVEMENT GÉNÉRAL EST LANCÉ

Pas adaptables les seniors ? Peu mobiles ? Moins compétitifs que leurs cadets ? Les idées reçues ont la vie dure. Et les chiffres semblent les valider. En France, les préretraites ont fait basculer le taux d'emploi des 55-65 ans sous la barre des 38 %, l'un des plus bas d'Europe. Et une enquête Manpower révèle que seulement 6 % des employeurs interrogés ont développé des mesures spécifiques pour recruter des quinquas.

Brigitte Ustal-Piriou, responsable du groupe de réflexion sur la gestion des âges à l'ANDCP (l'association des DRH), préfère parler de verre à moitié plein. « Avant tout, les entreprises n'affichent pas de politique discriminatoire, estime-t-elle. Elles doivent s'occuper de l'ensemble de leur population, y compris des seniors. »

Il n'empêche, après les vagues de départs en préretraite, les grands groupes ont dû opérer des virages à 180 degrés et réviser complètement leur politique. Telles les Caisses d'épargne où, avant 2000, les salariés partaient à 53 ans pour les femmes et 58 ans pour les hommes. Une époque révolue qui a nécessité une redynamisation des collaborateurs sur le point de partir. Les caisses ont réalisé entretiens de carrière, bilans de compétence, séminaires. Sept ans plus tard, le bilan est plutôt positif et nombre de seniors ont évolué vers d'autres fonctions.

Dans l'industrie, des entreprises ont introduit des aménagements horaires, des ergonomes ont fait leur apparition, notamment dans l'automobile, pour adapter les chaînes de montage. Et, en parallèle, les sociétés cherchent à valoriser un savoir-faire dont elles ont plus que jamais besoin. Sur le site GE Healthcare de Buc, en région parisienne, spécialisé dans les produits d'imagerie médicale, on fait appel aux quinquas pour le mentoring, la formation, le coaching. « Ils sont en tête de liste grâce à leur expérience, leur expertise, leur connaissance des process et des organisations », souligne Karine Rolland-Roumegoux, RRH pour les fonctions ingénierie.

Vinci pratique lui aussi le tutorat et la formation interne avec l'aide de ses seniors. Dans le même temps, entretiens annuels et entretiens de carrière réguliers permettent, à tous les âges, de faire le point sur les compétences et la formation, « justement pour ne pas avoir à gérer une carrière senior, souligne Véronique Pédron, à la DRH groupe. Il ne s'agit pas d'une population à part, ils font partie de la gestion des RH », ajoute-t-elle. Si les mentalités évoluent en interne, la progression est beaucoup plus lente à l'externe.

Lorsque François Humbert a commencé à chercher du travail à 45 ans, cet ingénieur, ancien directeur commercial dans une SSII, a entendu qu'à son âge, il ne fallait pas espérer grand-chose. Le choc. Il y a un an, il a créé son cabinet, Cadres Seniors Consulting, ciblé sur le recrutement des 45 ans et plus. Avec un constat : si peu d'entreprises pensent aux seniors d'emblée, réflexion faite, elles embauchent. Certaines sociétés, trop rares, en font même un moyen de stabiliser leurs équipes, voire un avantage concurrentiel.

Le cabinet Menway international a voulu innover. Avec une quarantaine d'entreprises toulousaines, il a lancé l'association RED (Réseau emploi durable) autour d'une idée simple : anticiper les ruptures et les licenciements en connaissant les besoins de chacun. Et au sein du RED, il a créé une pépinière de seniors qui permet aux cadres « sur la touche » de se relancer. D'abord détachés de leur entreprise, ils peuvent dans un deuxième temps envisager une nouvelle carrière. Une mobilité intéressante, qui ne doit pas masquer une double réalité, estime Olivier Spire, PDG de Quincadres. « Pour les non-cadres seniors, la situation reste très difficile. En revanche, les cadres connaissent le quasi-plein-emploi. »

Le retour à un poste passe certes très souvent par la case missions ou CDD au départ, mais l'ostracisme n'est plus de mise, affirme-t-il. Craignant une pénurie dans un an, il bichonne dès aujourd'hui ses candidats !

Ces entreprises qui misent sur les séniors
Paru dans www.lexpress.fr, le 09/05/2007. © Christine Piédalu, *L'Express*, 2007.

Chapitre 4
La synthèse de documents

LA SYNTHÈSE DE DOCUMENTS, QU'EST-CE QUE C'EST ?

La synthèse de documents est très certainement l'exercice qui effraie le plus les étudiants en français, surtout quand elle doit être réalisée dans le cadre d'un examen (comme pour l'examen du DAFL, par exemple). La synthèse de documents est, en effet, soumise à des règles qui doivent être scrupuleusement respectées.

L'étudiant doit, à partir de plusieurs documents écrits ou iconographiques, restituer, avec ses propres mots, les idées essentielles des auteurs en respectant un plan qu'il a, au préalable, élaboré. **Le candidat ne doit en aucun cas donner son opinion : il doit strictement respecter la pensée des auteurs.**

La synthèse de documents va permettre, à votre enseignant ou à un jury d'examen, d'évaluer vos capacités à :
– comprendre et mettre en relation des documents écrits et/ou iconographiques ;
– faire preuve d'esprit de synthèse ;
– faire preuve d'objectivité ;
– organiser et articuler vos idées ;
– soigner la qualité linguistique de votre français.

ATTENTION !

La synthèse de documents n'est pas un collage de résumés ou de comptes rendus. Il s'agit d'un exercice à part entière qui détient ses propres règles.

Votre synthèse de documents sera composée :
– d'une courte introduction ;
– d'un développement*.

* Il n'y a pas de conclusion dans une synthèse de documents, sauf si cela est spécifiquement demandé dans la consigne. Dans le cadre de l'examen du DALF C1, la conclusion n'est pas demandée ; vous ne devez donc pas en faire.

La synthèse de documents

LE SUJET ET LES DOCUMENTS DÉCLENCHEURS DE LA SYNTHÈSE DE DOCUMENTS

Contrairement aux documents déclencheurs*, la consigne (ou le sujet) de la synthèse de documents est toujours la même. Elle ressemble souvent à cela :

** Vous ferez une **synthèse** des documents proposés, en 220 mots environ. Pour cela, vous dégagerez les idées et les informations essentielles qu'ils contiennent, vous les regrouperez et les classerez en fonction du thème commun à tous ces documents, et vous les présenterez avec vos propres mots, sous forme d'un nouveau texte suivi et cohérent. Vous donnerez **un titre** à votre synthèse.

Attention ! Vous devez **rédiger un texte unique en suivant un ordre qui vous est propre** et non mettre trois résumés bout à bout ; vous ne devez pas introduire d'autres idées ou informations que celles qui se trouvent dans les documents, ni faire de commentaires personnels ; vous pouvez bien entendu réutiliser les « mots clefs » des documents, mais non des phrases ou des passages entiers.

Règle de décompte des mots : *est considéré comme mot tout ensemble de signes placé entre deux espaces. → « c'est-à-dire » = 1 mot ; « un bon sujet » = 3 mots ; « Je ne l'ai pas vu depuis avant-hier » = 7 mots.*

Les documents déclencheurs sont généralement tirés de la presse écrite et il s'agit le plus souvent d'articles d'opinion (argumentatifs) ou informatifs, quelque fois de tableaux, de graphiques ou de caricatures. Les documents ne sont pas tous tirés de la même source journalistique et ne sont pas nécessairement datés de la même année.

Ils ont une longueur totale comprise entre 800 et 1 200 mots. Contrairement au compte rendu ou au résumé, vous ne devez pas réaliser de division (1/3 ou 1/4) pour connaître le nombre de mots à respecter dans votre travail. La consigne vous indiquera clairement le nombre de mots à rédiger.

RÈGLES GÉNÉRALES

Voici les règles générales de la synthèse de documents. Respectez-les tout au long de votre travail :

- **N'utilisez jamais la première personne du singulier et du pluriel** (*je, nous*) : vous rendez compte de la pensée d'un ou plusieurs auteurs, vous rapportez les propos essentiels des documents qu'ils ont rédigés. Il vous appartient donc de trouver des formules impersonnelles, indirectes ou d'entrer directement dans le vif du sujet.
- **Évitez absolument de recopier des phrases du document support :** vous devez vous exprimer avec vos propres mots. Ne citez pas non plus de passages du document : synthétisez les idées qui vous paraissent importantes et reformulez-les.

* Les documents déclencheurs sont ceux, proposés avec le sujet, qui vont vous servir pour élaborer votre synthèse.
** La consigne citée est extraite des sujets du DALF C1 (Centre international d'études pédagogiques : www.ciep.fr).

La synthèse de documents

➔ **Respectez la longueur de votre synthèse de documents:** vous ne devez pas excéder le nombre de mots qui vous est donné dans le sujet (une marge de 10 % de mots, en plus ou en moins, est toutefois tolérée). Au-delà, ou en deçà, vous risquez d'être pénalisé.

➔ **Respectez la règle générale du plan:** une introduction suivie de deux, trois ou quatre parties correspondant à deux, trois ou quatre idées essentielles.

➔ **Organisez votre plan en fonction de votre pensée**, et articulez chacune de vos parties et vos idées les unes avec les autres.

➔ **Facilitez la lecture de votre synthèse à votre lecteur** (un correcteur, votre professeur): présentez correctement votre synthèse (chaque partie doit être détachée des autres par une ligne; l'introduction doit aussi être isolée).

➔ **Chacune de vos idées doit être traitée dans une partie bien spécifique:** lorsque vous passez à une partie suivante, vous devez y exposer une idée différente, et ainsi de suite.

LES CRITÈRES D'ÉVALUATION DE MON TRAVAIL

Votre travail sera évalué à partir de deux groupes de critères:

• **Critères pragmatiques:** le respect des règles de la synthèse de documents (sélection, reformulation et articulation des idées essentielles et secondaires, mise en commun des documents, organisation de votre travail).

• **Critères linguistiques:** le respect des règles grammaticales, orthographiques, syntaxiques, morphosyntaxiques et lexicales de votre français.

Ces deux grands groupes possèdent chacun des critères spécifiques. Voici deux tableaux qui vous permettront:
– d'identifier les critères d'évaluation utilisés par les correcteurs;
– de comprendre à quoi ils correspondent;
– d'identifier les améliorations que vous pouvez apporter.

1. Critères pragmatiques

Quels sont les critères utilisés par le correcteur pour évaluer ma production?	Que dois-je faire pour répondre à ces critères?
Respect de la consigne	• **Lisez et relisez la consigne:** nombre de mots exigés • **Prenez le temps**, au début de votre travail de faire un plan et, pendant la rédaction de votre travail, de le respecter scrupuleusement. • **Soyez certain de bien connaître les règles** générales de la synthèse de documents. • **Gardez-vous un laps de temps suffisant**, en fin de rédaction, pour compter les mots de votre production.

Quels sont les critères utilisés par le correcteur pour évaluer ma production ?	Que dois-je faire pour répondre à ces critères ?
Compréhension et reformulation	• **Lisez et relisez les documents** pour être certain de bien en saisir le sens. • **Soyez sûr d'en dégager un seul thème** qui englobe les idées essentielles des documents. • **N'oubliez aucune idée** essentielle. • **Faites bien la différence** entre les éléments essentiels et les éléments superflus des documents. • **Faites preuve d'esprit de synthèse :** allez directement à l'essentiel ! Ne risquez pas de vous perdre dans des explications superficielles, inutiles et hors sujet. • **Ne recopiez pas de phrases du document.** Utilisez vos propres mots. • **Réemployez les mots clés.** • **Vos idées doivent toutes être liées au thème général** (idée centrale, problématique) du sujet.
Organisation du plan	• **Faites preuve de logique :** traitez une idée essentielle par paragraphe. Vous éviterez ainsi les répétitions. • **Faites preuve d'organisation :** reliez obligatoirement des idées contenues dans plusieurs documents. • **Faites preuve de concision :** choisissez des idées essentielles dont le sens est suffisamment éloigné les unes des autres. Vous éviterez aussi les incohérences.
Cohérence et articulation des idées, des opinions et des illustrations	• **Soignez votre présentation :** détachez bien physiquement votre introduction, les différents paragraphes de votre développement et votre conclusion. • **Utilisez autant que possible des connecteurs**, des marqueurs de relations, pour articuler les idées entre elles. • **Attention cependant !** Choisissez exclusivement des connecteurs dont vous connaissez la signification. Dans le cas contraire, vous risqueriez de produire un travail incohérent. • **Utilisez aussi suffisamment de conjonctions de coordination** pour articuler vos phrases les unes avec les autres.

2. Critères linguistiques

Quels sont les critères utilisés par le correcteur pour évaluer ma production ?	Quelles sont les règles grammaticales que je dois suffisamment maîtriser pour répondre à ces critères ?
Degré d'élaboration des phrases	• **Les temps verbaux (conjugaison et utilisation) :** notions du présent, du passé et du futur. • **Les modes (indicatif, conditionnel, subjonctif) et les concepts qui y sont rattachés :** comment exprimer la condition, les sentiments, la volonté, le doute, l'opinion, le jugement, la déclaration, la nécessité, l'hypothèse… • **Les pronoms personnels (sujets et objets) :** leur utilisation et leur place dans la phrase. • **Les prépositions.**
Maîtrise et étendue du vocabulaire	• **Le lexique (noms, adjectifs, adverbes, verbes) :** votre connaissance du lexique doit correspondre à votre intention d'énonciation. C'est-à-dire que vous devez maîtriser un nombre suffisant de mots, de termes et d'expressions (idiomatiques ou non) afin de faire correctement passer votre message. • **Votre lexique doit être en adéquation avec le ton** que vous désirez donner à votre essai.
Morphosyntaxe	• **Les accords en genre et en nombre :** noms, pronoms, adjectifs, participes passés. • **Les conjugaisons verbales :** terminaisons verbales en fonction des temps et des modes utilisés. • **Les terminaisons verbales :** évitez de confondre les terminaisons des infinitifs, des participes passés et des verbes conjugués.
Orthographe	• **L'orthographe usuelle :** connaissance suffisante des règles orthographiques (par exemple, les doubles consonnes, les accents, …).
Ponctuation	• **Les majuscules :** n'oubliez pas les majuscules, même si elles n'existent pas dans votre langue maternelle (arabe, japonais, coréen…). • **La ponctuation :** votre travail doit être ponctué (ni trop, ni trop peu). La ponctuation : – facilite la lecture d'un essai ; – donne de la cohérence à votre travail ; – permet d'éviter les phrases trop longues (qui risquent d'être difficilement compréhensibles, voire incohérentes).

La synthèse de documents

La méthode de travail

L'exercice de la synthèse de documents ne se limite pas à sa rédaction. Afin de vous faciliter la production de cet exercice, nous vous conseillons de suivre les quatre étapes suivantes :

1. Lecture des documents
2. Repérages des éléments
3. Élaboration d'un plan
4. Rédaction

Prenons, maintenant, ces étapes, l'une après l'autre.

1. Lecture des documents

Cette première étape est capitale car vous ne devez pas vous contenter d'une seule lecture des documents déclencheurs. Cette étape vous permettra d'éviter les faux-sens ou, plus grave encore, les hors sujets. Consacrez à cette première étape le temps nécessaire !

> **Attention !**
>
> Il est possible que vous ne compreniez pas tous les mots ou toutes les expressions utilisés dans le document. Ne paniquez pas ! Cela ne signifie pas que vous allez échouer à votre examen :
> • Essayez d'en comprendre le sens global.
> • Portez votre attention sur le contexte général du document ou de l'idée développée par l'auteur.
> • Poursuivez votre lecture.
> • Relisez le document ou le passage en question.

2. Repérage des éléments

Cette deuxième étape importante doit servir à :
– **séparer les éléments essentiels et secondaires des éléments superflus** qui ne sont pas importants pour la compréhension des documents (par exemple, certains exemples ou illustrations) ;
– **rapprocher les documents les uns des autres.** C'est-à-dire que les éléments que vous aurez repérés doivent, la plupart du temps, être présents dans plusieurs documents. Rappelez-vous : vous ne devez pas faire une succession de résumés de documents mais obligatoirement les mettre en relation les uns avec les autres. C'est lors de cette étape que vous mettrez en pratique cette règle.

Durant vos différentes lectures des documents déclencheurs, il sera donc nécessaire de dégager les éléments suivants :

• **Les idées essentielles :** ce sont celles qui véhiculent les idées ou les informations les plus importantes que l'auteur a voulu transmettre au lecteur dans son article. C'est à vous de faire le tri afin de dégager des idées essentielles qui, pour la plupart, se retrouvent dans les différents documents proposés (il n'est cependant pas nécessaire que toutes les idées essentielles se retrouvent dans tous les documents). Aucune idée essentielle ne doit être mise de côté. Ce sont ces dernières qui vont structurer votre travail et vous permettre d'élaborer les grandes parties (parties principales) de votre plan.

• **Les idées secondaires :** elles permettent de soutenir, d'illustrer le développement. À l'étape de la rédaction, les idées secondaires vous apporteront les éléments nécessaires au développement des idées essentielles. Comme pour les idées essentielles, des idées secondaires peuvent se retrouver dans divers documents. Si les idées essentielles peuvent être comparées au squelette de votre compte rendu, les idées secondaires en constituent le muscle.

• **Le thème général:** le thème général doit englober, réunir, regrouper **toutes les idées essentielles de tous les documents**: les idées essentielles doivent donc toutes, sans exception, y être rattachées. Le thème général doit apparaître clairement dans votre introduction. Il est donc important de choisir un thème général suffisamment large afin qu'il regroupe toutes les idées.

Le thème général sera utilisé, la plupart du temps, en guise de titre de votre synthèse de documents.

• **Les mots clés:** ces mots (ou expressions), pris de façon isolée, doivent tous être rattachés au thème général, à son sens. Généralement, le repérage des mots clé se fait au fur et à mesure des lectures.

Ces éléments ne vont certainement pas vous sauter aux yeux à la première lecture. Il vous appartient, à l'aide d'un stylo, tout au long de vos lectures, de **souligner**, **encadrer**, **surligner**, **entourer** ces différents éléments. Grâce au travail de repérage, vous pourrez, ensuite, élaborer votre plan.

Nous pouvons schématiser cette étape de repérage de cette manière:

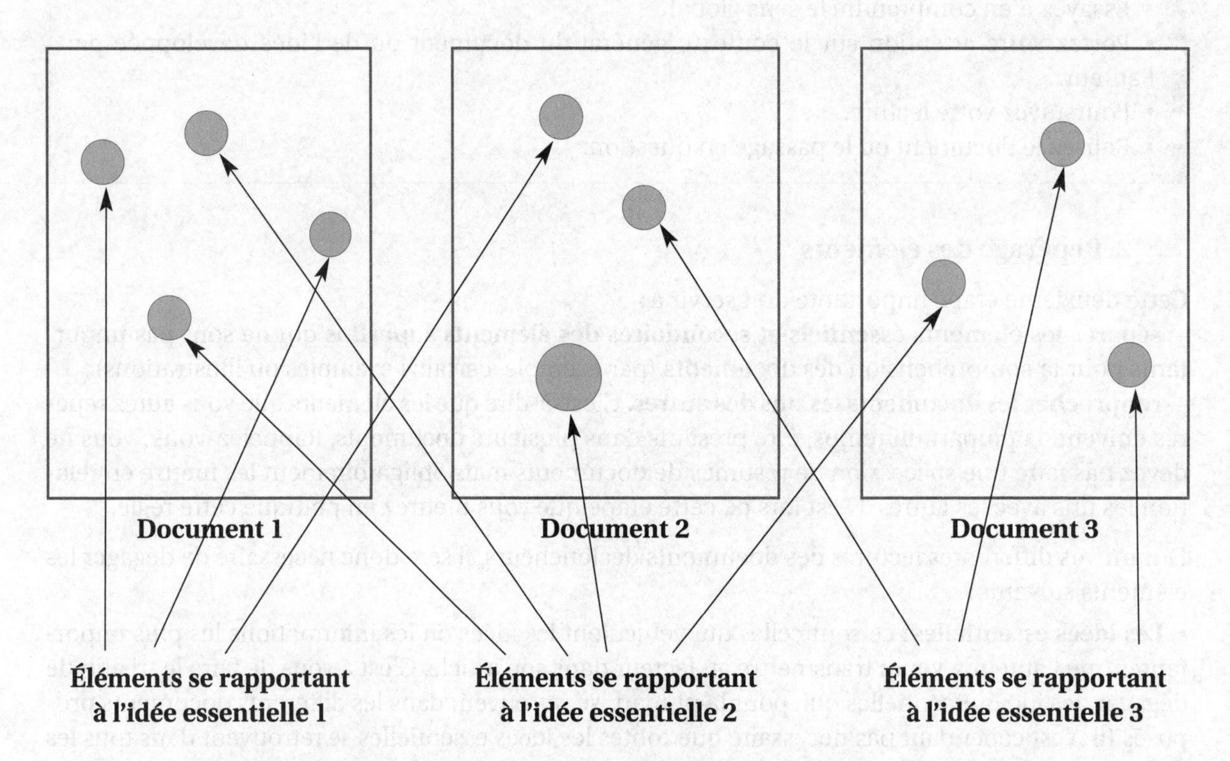

Les flèches désignent les endroits, dans les documents supports, qui permettent d'identifier les éléments rattachées aux différentes idées essentielles.

Une fois ce travail réalisé, il est important :
– de réunir toutes les idées essentielles sous un même thème général ;
– de repérer des idées secondaires permettant d'illustrer, de définir ou de soutenir chacune des idées essentielles.

Nous pouvons, une fois ces étapes franchies, obtenir le schéma suivant :

Thème général		
Mots clés		
Idée essentielle 1	Idée essentielle 2	Idée essentielle 3
Mots clés	Mots clés	Mots clés
Idée secondaire 1	Idée secondaire 1	Idée secondaire 1
Idée secondaire 2	Idée secondaire 2	Idée secondaire 2
Idée secondaire 3	Idée secondaire 3	Idée secondaire 3

Que faire des idées accessoires que l'on retrouve dans les documents déclencheurs ?

Les idées accessoires sont, généralement, des éléments introduits par l'auteur qui vont servir à exemplifier, illustrer des idées essentielles ou secondaires. Certaines fois encore, l'auteur peut répéter une idée ou une information d'une autre manière afin d'en souligner le caractère important : il s'agit d'une mise en valeur.
Il est important, en marge du travail de repérage que vous effectuez (mots clés, thème général, idées essentielles, idées secondaires), d'isoler toutes les informations qui n'apportent rien à la compréhension générale du document mais qui ne font, par exemple, que l'illustrer. N'oubliez pas que vous devez respecter un nombre défini de mots. C'est en mettant de côté les éléments accessoires des documents déclencheurs que vous ferez preuve, également, d'esprit de synthèse.

Courage ! La moitié de votre travail est effectuée à la fin de cette étape.

3. Élaboration d'un plan

Le repérage des idées essentielles et des idées secondaires va vous permettre d'élaborer relativement rapidement votre plan. Attention ! C'est à vous d'ordonner et d'articuler les idées essentielles que vous avez sélectionnées.

Nous vous conseillons de mettre sur papier votre plan en nominalisant vos idées essentielles et vos idées secondaires (éviter les longues phrases). Chacune des idées essentielles sélectionnées correspondra à une partie, donc à un paragraphe.

La synthèse de documents

Votre travail doit ressembler au schéma suivant :

Introduction
Idée essentielle 1 + idées secondaires
Idée essentielle 2 + idées secondaires
Idée essentielle 3 + idées secondaires

Activités

A Organisez votre lecture et préparez votre plan.

À partir des documents proposés, réalisez les étapes suivantes :

- Lecture des documents
- Repérage :
  - du thème général,
  - des mots clés,
  - des idées essentielles,
  - des idées secondaires.
- Élaboration d'un plan.
- Rédaction de l'introduction.

Texte 1

DÉCOUVERTE D'UNE PROTÉINE POUR LE TRAITEMENT DE L'OBÉSITÉ

STOCKHOLM (AFP) - Une équipe de chercheurs suédois a annoncé mercredi avoir découvert une protéine jouant un rôle fondamental dans la formation de nouvelles cellules graisseuses, ouvrant ainsi la voie, entre autres, à un nouveau traitement de l'obésité.

Cette nouvelle protéine, appelée TRAP (Phosphate d'acide tartrique résistant), « stimule la formation de nouvelles cellules graisseuses et peut ainsi précipiter le développement de l'obésité », explique l'Institut suédois Karolinska dans un communiqué.

Les travaux, basés sur des cultures de cellules humaines et des souris, ont par ailleurs montré que les patients souffrant d'obésité présentaient des niveaux excessifs de cette protéine.

Alors que les cellules graisseuses ont, en cas d'obésité maligne, une taille importante, l'étude a montré que la protéine TRAP, sur des souris, « donnait lieu à plus de cellules graisseuses bénignes de taille et de métabolisme normaux ».

« La découverte peut [...] déboucher sur de nouvelles façons de traiter l'obésité basée sur l'inhibition de l'effet de la protéine » en question, a expliqué le professeur Göran Andersson, à la tête de l'équipe de chercheurs, cité dans le communiqué.

En outre, « cette protéine peut se révéler utile dans le traitement d'états impliquant la cachexie (perte de poids excessive et atrophie musculaire) comme dans celui de certaines maladies cancéreuses », a-t-il ajouté.

L'étude a duré environ quatre ans et a porté sur quatorze femmes atteintes d'obésité, a précisé à l'AFP M. Andersson.

Les résultats des chercheurs ont été publiés mercredi dans la revue américaine PLoS ONE (Public Library of Science) en ligne.

TEXTE 2

UFC-Que Choisir a lancé mardi un site Internet consacré à la lutte contre l'obésité infantile, jugeant les efforts de l'industrie agroalimentaire insuffisants. Olivier Andreault, chargé de mission alimentation et nutrition auprès de l'association de consommateurs, réclame une loi pour protéger les enfants.

L'exposition des enfants à la publicité est-elle toujours forte ?

En 2006, un an après la mise en application du texte (*la loi de santé publique du 9 août 2004, NDLR*), la pression publicitaire restait très importante. En 2005, 89 % des spots publicitaires concernaient des produits déséquilibrés, puis 87 % l'année suivante. Concernant la qualité nutritionnelle des aliments, des engagements ont été pris, notamment de baisser le taux de sucre. Mais cela ne concerne que quelques entreprises : Coca, Ferrero, Unilever, Taillefine et MacDonald's. Vont-ils tenir leurs engagements ? Et que font les autres marques ? Nous demandons une grande loi de prévention contre l'obésité.

Peut-on évaluer l'impact des messages sanitaires sur les plus jeunes ?

Il existe deux types de publics, à bien différencier : les enfants et les adultes. En ce qui concerne les plus jeunes, le message sanitaire n'est pas la solution. Une bonne partie des enfants ne savent pas lire ou sont en période d'apprentissage de la lecture et surtout, ne sont pas dotés de capacités cognitives comme leurs parents, permettant d'identifier le caractère commercial de la publicité. C'est pourquoi nous demandons l'interdiction pure et simple de la publicité pour les produits sucrés, gras et salés pendant les programmes pour enfants.

Et concernant les adultes ?

Il faut les éduquer. Sur le fond, le message sanitaire doit donc être plus explicite car un réel problème de compréhension se pose. Qu'est-ce que manger sainement, dans notre société moderne ? Notre consommation est aujourd'hui surtout constituée de produits transformés par l'industrie agroalimentaire. Sur les quarante dernières années, la consommation de chocolat et de confiseries a été multipliée par 2, celle des boissons sucrées par 3 et celle des desserts lactés par 8. Dans le même laps de temps, les légumes et les fruits frais ont enregistré, eux, une baisse de... 40 % ! Sur la forme, il ne faut pas écrire le message dans des caractères trop petits.

UFC-Que Choisir a lancé mardi un site Internet consacré à la lutte contre l'obésité infantile, jugeant les efforts de l'industrie agroalimentaire insuffisants. Olivier Andreault, chargé de mission alimentation et nutrition auprès de l'association de consommateurs, réclame une loi pour protéger les enfants.

Il faut une loi pour prévenir l'obésité infantile

Paru dans www.lexpress.fr, le 19/09/2007.

TEXTE 3

Obésité : des messages sanitaires dans les pubs

« Pour votre santé, évitez de grignoter entre les repas », « Pratiquez une activité physique régulière »… Les publicités pour les produits alimentaires comporteront dorénavant des messages sanitaires, destinés à sensibiliser aux risques pour la santé d'une mauvaise nutrition.

À partir d'aujourd'hui, les publicités alimentaires devront comporter un message sanitaire, destiné à sensibiliser l'opinion aux risques pour la santé d'une mauvaise nutrition. Le décret et l'arrêté imposant ces messages ont été publiés mercredi au Journal officiel.

Les publicités, quel que soit leur support – écrit, télévision, radio, internet – devront comporter un des quatre messages suivants : « Pour votre santé, évitez de grignoter entre les repas », « Évitez de manger trop gras, trop sucré, trop salé », « Mangez au moins cinq fruits et légumes par jour » ou « Pratiquez une activité physique régulière ».

Les entreprises qui dérogeraient à la règle devront s'acquitter d'une taxe de 1,5 % du montant de leurs investissements publicitaires, dont le produit serait reversé à l'Institut national pour la prévention et l'éducation à la santé (INPES). L'Ania a recommandé à ses membres d'opter pour l'insertion des messages sanitaires plutôt que pour la taxe.

L'association de défense des consommateurs UFC-Que Choisir a pour sa part qualifié ces messages sanitaires d'« une véritable galéjade », estimant « nécessaire de protéger les enfants (de la publicité) spécifiquement par des dispositions réglementaires ». Les messages seront « régulièrement renouvelés » pour en renforcer l'impact, a indiqué le ministre de la Santé Xavier Bertrand, promettant un premier bilan dans 6 mois.

La France compte près de 20 millions de gens en « surpoids » dont 5,9 millions d'obèses. Un enfant sur six est aujourd'hui en surpoids (un sur quatre dans les familles les plus défavorisées). Surpoids et obésité sont des facteurs importants de risque pour de nombreuses maladies comme l'hypertension, les problèmes cardiaques, certains diabètes et cancers.

Paru dans www.lexpress.fr, le 28/02/2007. © *L'Express*, 2007.

B Organisez votre lecture et préparez votre plan.

À partir des documents proposés, réalisez les étapes suivantes :

- Lecture des documents
- Repérage :
  - du thème général,
  - des mots clés,
  - des idées essentielles,
  - des idées secondaires.
- Élaboration d'un plan.
- Rédaction de l'introduction.

TEXTE 4

L'immigration, solution d'Attali pour doper l'économie

LA commission pour la croissance prône l'ouverture des frontières. Ouvrir grande la porte de la forteresse France aux travailleurs étrangers, telle serait, selon le Figaro d'hier, l'une des propositions phares du rapport que Jacques Attali rendra le 23 janvier au chef de l'État. Entouré d'une quarantaine de personnalités, dont Yves de Kerdrel, éditorialiste au Figaro, l'ancien sherpa de François Mitterrand phosphore depuis le 30 août sur les moyens de redynamiser l'économie française.

Cette libéralisation de l'immigration se justifierait par la nécessité de « faire face à un marché du travail en tension ». Mais pas seulement. Selon les membres de la commission, « l'immigration, facteur de développement de la population, est en tant que telle une source de création de richesse, donc de croissance ». Pour Hervé Le Bras, autre personnalité associée à ces travaux et directeur du laboratoire de démographie à l'École des hautes études en sciences sociales, cette proposition prend l'exact contre-pied de la politique très restrictive menée par Nicolas Sarkozy : « Dans notre rapport, il n'y a aucun élément d'ordre répressif, tout est entièrement basé sur l'ouverture. »

Officiellement, le Président entend faciliter, lui aussi, l'immigration de travail. Il ambitionne de la faire passer de 7 % aujourd'hui à 50 %. Attention, il ne s'agit pas de faire entrer en France n'importe quel travailleur étranger. Mais de sélectionner les immigrés, selon leur profession et leur origine géographique. Deux listes de métiers « en tension » ont déjà été établies, l'une répertoriant les professions ouvertes aux ressortissants des nouveaux états membres de l'Union européenne, l'autre à ceux des pays tiers. Un article de la loi Hortefeux votée en novembre ouvre des possibilités de régularisation aux sans-papiers occupant un emploi, mais uniquement dans des secteurs « tendus » (bâtiment, restauration...). Mardi, lors de ses vœux à la presse, le chef de l'État a promis d'aller « jusqu'au bout d'une politique fondée sur des quotas ». S'agit-il de quotas par nationalité ? Sarkozy n'a pas été plus précis. En septembre, il avait annoncé des quotas « par régions du monde », ce qui nécessiterait une modification de la Constitution.

Pour l'heure, le détail de la proposition de la commission Attali sur l'immigration n'étant pas connu, il est difficile d'évaluer jusqu'à quel point sa philosophie diffère de celle de Nicolas Sarkozy. À titre personnel, Hervé Le Bras ne mâche pas ses mots. Pour lui, les listes des métiers ont été « établies de façon extraordinairement arbitraire. Hortefeux s'est contenté de faire un recensement des offres d'emploi de l'ANPE ». « J'ai été stupéfait de voir ces listes apparaître, poursuit-il. Je ne les avais jamais vues passer dans aucun circuit statistique ou scientifique. » Plus fondamentalement, « l'immigration choisie, c'est stupide, affirme-t-il. Ce n'est pas la France qui choisit les migrants qu'elle veut accueillir. Ce sont les migrants qui choisissent les pays où ils veulent aller. »

Lors de la même intervention, le chef de l'État a émis un autre souhait, apparemment sans rapport : que le « préambule de notre Constitution soit complété pour garantir l'égalité de l'homme et de la femme, pour assurer le respect de la diversité, pour rendre possibles de véritables politiques d'intégration ». [...]

Catherine Coroller, *Libération*, 11 janvier 2008.

Texte 5

Faut-il plus d'immigrés ?

Le manque de main-d'œuvre dans certains secteurs est criant. De la commission Attali aux démographes, plusieurs préconisent un recours accru aux étrangers. Pour le gouvernement, la solution passe par sa politique de quotas.

Tama aura des papiers. Un permis de séjour d'un an qui va lui permettre de sortir de la clandestinité. Il aura fallu six jours de grève pour que ce Malien et six de ses collègues de même nationalité, travaillant comme cuisiniers pour le groupe de restauration Costes, soient régularisés par la préfecture de police de Paris. Tama a bénéficié de l'application d'une circulaire du ministère de l'Immigration. Elle précise qu'un employeur qui a fait, de « bonne foi », travailler un sans-papiers peut se tourner vers les autorités pour demander sa régularisation.

[...] D'autres, déjà, tels ceux qui travaillent dans des établissements de restauration Buffalo Grill, étaient apparus publiquement. Leurs parcours démontrent que la société française se nourrit du travail des clandestins ; de 200 000 à 400 000, selon les estimations... Et le constat dépasse, de loin, le seul domaine de l'hôtellerie et de la restauration. Deux travailleurs maliens avaient été interpellés, en juin 2007, sur le chantier pourtant hypersécurisé de rénovation du pavillon de la Lanterne, à Versailles, résidence alors allouée au Premier ministre...

À ce jour, 30 professions très qualifiées sont ouvertes aux ressortissants des pays non membres de l'Union européenne (UE). Par ailleurs, 150 autres métiers, confrontés à une pénurie de main-d'œuvre, peuvent engager des salariés provenant des nouveaux pays membres de l'UE. [...]

L'économie française dépendante des immigrés ? Cette simple question dérange, alors qu'en France et en Europe des voix s'élèvent pour qu'on renforce la protection de nos frontières. Le point de vue iconoclaste est désormais partagé par Jacques Attali, président de la Commission pour la libération de la croissance française, installée par Nicolas Sarkozy. Dans l'une de ses « 300 décisions pour changer la France », benoîtement intitulée « Accueillir plus de travailleurs étrangers », il estime qu'avec « la politique restrictive de l'immigration les entreprises françaises peinent à trouver la main-d'œuvre nécessaire dans plusieurs secteurs clefs de l'économie ». L'ancien conseiller de François Mitterrand affirme aussi que « l'augmentation du volume d'emploi grâce à l'immigration se traduit par un effet positif et significatif sur le niveau d'activité de l'économie, chiffré à 0,1 point de croissance pendant un an pour l'arrivée de 50 000 nouveaux migrants ».

Ce détonant rapport n'est pas le premier travail prospectif préconisant une plus large ouverture des frontières aux migrants. D'autres études réalisées dans des pays d'Europe proches recommandent déjà ce choix. Ainsi, en Espagne, la Caixa de Catalunya, un organisme social et financier, estimait en 2006 que, sans l'arrivée de 3,3 millions d'immigrés de 1995 à 2005 dans le pays, le produit intérieur brut (PIB) par habitant aurait baissé en moyenne de 0,64 % par an au lieu de croître de 2,60 %.

Autre problème : la démographie. Même si la France demeure le seul pays en Europe à maintenir un taux de natalité proche de 2 enfants par femme (1,98 en 2007), contre 1,4 en moyenne pour nos voisins, le chiffre ne garantit pas le renouvellement des générations. François Héran, patron de l'Institut national d'études démographiques, le prouve dans une étude récente, *Le Temps des immigrés* (Seuil) : le seul moyen de maintenir la croissance de la population sera de faire appel aux étrangers. Car, à partir des années 2040, les décès l'emporteront sur les naissances et les migrations deviendront l'unique facteur de croissance de la population.

En Italie, le quota des étrangers autorisés à séjourner dans la péninsule est fixé chaque année par décret. 170000 permis de séjour seront accordés en 2008, pour 520000 en 2007. 47100 sont réservés aux ressortissants de pays partenaires [...]. Plus de 65000 concernent des employés de maison et des aides à la personne. Les candidats, qui doivent se prévaloir d'un contrat de travail, participent à cette « loterie des immigrés » par Internet. Les plus rapides à cliquer sur le site du ministère de l'Intérieur obtiennent le sésame.

Cette solution ne pourrait être évitée qu'à condition de revenir à un taux de fécondité équivalant à celui des années d'après-guerre, soit 2,2 enfants par femme. Une hypothèse fort peu probable, car [...] 21 % des grossesses n'étaient, à cette époque, pas désirées. [...]

Paru dans www.l'express.fr, le 28/02/2008.

TEXTE 6

Régularisation à l'anglaise

Au Royaume-Uni, 200000 sans-papiers vont être régularisés. Ils font partie des 500000 dossiers laissés en souffrance par les gouvernements de 1994 à 2004. Cette décision répond à la pression de la fédération des industriels britanniques au nom du dynamisme économique. Dans le même temps, 52000 sans-papiers sont en voie d'expulsion. Certains étaient employés illégalement par le ministère de l'Immigration…

C'est avec un système de quotas que l'actuel ministre de l'Immigration, de l'Intégration, de l'Identité nationale et du Codéveloppement, Brice Hortefeux, souhaite résoudre ce qui peut apparaître comme la quadrature du cercle : favoriser une immigration de travail et la maîtriser sans créer d'appel d'air pour les clandestins ni piller leurs pays d'origine. La constitutionnalité du projet est encore actuellement en débat mais, d'ores et déjà, des traités bilatéraux permettent de préfigurer ce que serait cette politique. L'accord passé avec le Sénégal, au début de la semaine, prévoit ainsi que 108 métiers seront, en 2008, ouverts aux ressortissants de ce pays. Mille emplois seraient concernés et 200 cartes de séjour « compétences et talents » destinées aux plus qualifiés seront également attribuées.

L'Express, 28 février 2008.

C Réalisez une synthèse de documents en respectant toutes les étapes.

À partir des documents proposés, réalisez les étapes suivantes :

- Lecture des documents
- Repérage :
  - du thème général,
  - des mots clés,
  - des idées essentielles,
  - des idées secondaires.
- Élaboration d'un plan.
- Rédaction de la synthèse de documents.

TEXTE 7

Ces entreprises qui misent sur les seniors

Enquête sur ces sociétés qui cherchent à garder leurs quinquas. Même si elles restent encore minoritaires, le mouvement général est lancé.

Pas adaptables les seniors ? Peu mobiles ? Moins compétitifs que leurs cadets ? Les idées reçues ont la vie dure. Et les chiffres semblent les valider. En France, les préretraites ont fait basculer le taux d'emploi des 55-65 ans sous la barre des 38 %, l'un des plus bas d'Europe. Et une enquête Manpower révèle que seulement 6 % des employeurs interrogés ont développé des mesures spécifiques pour recruter des quinquas.

[...] Après les vagues de départs en préretraite, les grands groupes ont dû opérer des virages à 180 degrés et réviser complètement leur politique. Telles les Caisses d'épargne où, avant 2000, les salariés partaient à 53 ans pour les femmes et 58 ans pour les hommes. Une époque révolue qui a nécessité une redynamisation des collaborateurs sur le point de partir. Les caisses ont réalisé entretiens de carrière, bilans de compétence, séminaires. Sept ans plus tard, le bilan est plutôt positif et nombre de seniors ont évolué vers d'autres fonctions.

Dans l'industrie, des entreprises ont introduit des aménagements horaires, des ergonomes ont fait leur apparition, notamment dans l'automobile, pour adapter les chaînes de montage. Et, en parallèle, les sociétés cherchent à valoriser un savoir-faire dont elles ont plus que jamais besoin. Sur le site GE Healthcare de Buc, en région parisienne, spécialisé dans les produits d'imagerie médicale, on fait appel aux quinquas pour le mentoring, la formation, le coaching [...].

Vinci pratique lui aussi le tutorat et la formation interne avec l'aide de ses seniors. Dans le même temps, entretiens annuels et entretiens de carrière réguliers permettent, à tous les âges, de faire le point sur les compétences et la formation, « justement pour ne pas avoir à gérer une carrière senior, souligne Véronique Pédron, à la DRH groupe. Il ne s'agit pas d'une population à part, ils font partie de la gestion des RH », ajoute-t-elle. Si les mentalités évoluent en interne, la progression est beaucoup plus lente à l'externe.

[...] Le cabinet Menway international a voulu innover. Avec une quarantaine d'entreprises toulousaines, il a lancé l'association RED (Réseau emploi durable) autour d'une idée simple : anticiper les ruptures et les licenciements en connaissant les besoins de chacun. Et au sein du RED, il a créé une pépinière de seniors qui permet aux cadres « sur la touche » de se relancer. D'abord détachés de leur entreprise, ils peuvent dans un deuxième temps envisager une nouvelle carrière. Une mobilité intéressante, qui ne doit pas masquer une double réalité, estime Olivier Spire, PDG de Quincadres. « Pour les non-cadres seniors, la situation reste très difficile. En revanche, les cadres connaissent le quasi-plein-emploi. »

Le retour à un poste passe certes très souvent par la case missions ou CDD au départ, mais l'ostracisme n'est plus de mise, affirme-t-il. Craignant une pénurie dans un an, il bichonne dès aujourd'hui ses candidats !

Paru dans www.lexpress.fr, le 09/05/2007. © Christine Piedalu, *L'Express*, 2007.

TEXTE 8

LA FUREUR DE VIVRE

Rien n'est trop beau pour les baby-boomeurs à l'âge de la retraite. La vieillesse attendra…

À entendre les marchands de bonheur du Salon des seniors, qui vient de se tenir porte de Versailles, à Paris, c'est le nirvana qui attend les Français. Pensez à tout ce que vous pourrez faire quand vous serez, donc, « senior » : vous initier à l'aromathérapie, au jardinage ou à la généalogie, vous mettre à la randonnée pédestre et à l'aquarelle, prendre un coach « pour vos projets de vie », vous installer pour l'hiver en caravane sur une plage du Maghreb, changer de conjoint – c'est tendance – ou, plus rigolo encore, devenir mannequin, comme Catherine Deneuve, 62 ans, ou Kim Basinger, 52 ans, qui vantent les bienfaits de cosmétiques. Le magazine *Notre temps* vient d'ailleurs d'organiser, le 1er avril, un concours de mannequins seniors. Vous pourrez vous lancer sur Internet : 37 % seulement des seniors sont équipés en nouvelles technologies (pour 60 % des Français), mais un programme gouvernemental vient d'être lancé pour réduire la « fracture » numérique. Génial, non ?

Oui, mais à quel âge devient-on senior ? 50 ans, pour ceux qui s'intéressent au marché que vous constituez (47 % du pouvoir d'achat national), 60 ans, pour ceux qui vous octroient des réductions, comme la SNCF qui a remplacé la carte Vermeil par la Senior en 1998. Selon la linguiste Henriette Walter, le mot « senior » vient du latin et signifiait « sage » : « Quand les vieux sont devenus des gens qui ont des moyens, on a décidé de les respecter en les appelant seniors. » En fait, ce sont les baby-boomeurs qui ont piqué le terme aux Américains, épris d'euphémismes, au moment où ils flanchaient à l'idée de passer pour « vieux », alors qu'ils se préparaient à vivre une nouvelle adolescence. Ils avaient déjà fait le coup avec les teen-agers, un mot inventé exprès pour eux, quand ils ont bloqué à l'idée de devenir, d'un coup, adultes.

Doit-on obligatoirement passer par la case senior avant le grand âge ? Peut-on rester senior jusqu'à la fin de la vie ? Impossible, que deviendraient les « vieux » ? Car la vieillesse arrive toujours, rappelle joliment, drôlement, Benoîte Groult, 86 ans, dans son nouveau roman, *La Touche étoile* (Grasset). Alors, vers 85 ans, « c'est irréversible et c'est accéléré, écrit-elle. J'en suis à pleurer sur le paradis de mes 83 ans, c'est dire ». Elle grogne surtout contre ce monde où la vieillesse est un péché, mais où la mort ne se choisit pas. Elle aussi a la fureur de vivre. Dignement.

Paru dans www.lexpress.fr, le 06/04/2008. © Jacqueline Remy, *L'Express*, 2006.

Texte 9

Le gouvernement veut maintenir les seniors au travail

Pour faire en sorte qu'un senior sur deux soit en activité d'ici 2010, au lieu d'un sur trois actuellement en France, le gouvernement a un plan, dont Gérard Larcher, le ministre délégué à l'Emploi a présenté le texte mardi aux partenaires sociaux. Dòté de 10 millions d'euros, ce plan senior pourrait entrer en vigueur dès le mois de juin.

Première idée : éviter désormais que les seniors soient écartés prématurément de l'entreprise, le gouvernement veut mettre un terme au système des pré-retraites, qui seront désormais très limitées. Les accords de branche ne pourront plus passer ou abaisser l'âge de départ en retraite sous les 65 ans. Par ailleurs, les seniors seront mieux formés. C'est la fameuse « sécurisation des parcours professionnels ». Un employeur ne pourra plus refuser à un salarié de plus de 50 ans un droit individuel à la formation. D'autre part, les salariés de plus de 45 ans auront droit à un entretien individuel tous les cinq ans pour faire le point sur ses compétences et ses besoins de formations. Il pourrait à cette occasion demander un aménagement de son poste ou de ses horaires.

Pour permettre aux plus âgés d'espérer retrouver un emploi, les partenaires sociaux s'étaient mis d'accord pour créer un CDD spécialement adapté aux salariés de plus de 57 ans, en recherche depuis plus de trois mois ou en convention de reclassement personnalisé. Un CDD de 18 mois, renouvelable une fois, soit un maximum de trois ans, alors qu'aujourd'hui, la durée du CDD et de son renouvellement ne peut excéder un an et demi. Les syndicats reconnaissent que le succès de ce contrat de travail dépendra de l'engagement des employeurs. Le gouvernement a tranché sur la contribution Delalande, qui rendait plus cher le licenciement des salariés de plus de 50 ans. Considérée comme un « frein » à l'emploi des seniors par le Medef, elle sera supprimée, au grand dam des syndicats qui craignent au contraire des licenciements moins coûteux. L'ANPE aurait un service spécifique pour les seniors. Et le plan imagine de « nouvelles formes d'emploi » : des employeurs pourraient se partager un même salarié senior, ou un même poste serait partagé par plusieurs seniors. Aujourd'hui, les plus de 50 ans ont deux fois moins de probabilité de retrouver un emploi que les 30-49 ans.

Troisième idée : maintenir les seniors en activité le plus longtemps possible grâce à des incitations financières. Désormais, le cumul emploi et retraite pourrait dépasser le montant du dernier salaire d'activité. Et sous réserve de l'accord du Conseil d'orientation des retraites, ceux qui travailleraient au-delà de l'âge de leur retraite verraient leurs pensions majorées encore un peu plus. Enfin, les plus de 60 ans pourraient cumuler un mi-temps travail et mi-temps retraite s'ils ont cotisé au mois 132 trimestres. Prévu par la loi Fillon, le mécanisme n'a jamais été appliqué, faute de décret. Il ouvrirait des droits supplémentaires à la retraite. Enfin le gouvernement espère lever le frein du préjugé avec une grande campagne de sensibilisation auprès des employeurs, qui absorbera à elle seule la moitié du budget du plan. [...]

Paru sur le site L'Expansion.com, le 17/01/2006. © *L'Expansion*, 2006.

Partie 3

Les écrits créatifs

Introduction

DIFFÉRENCES ET RESSEMBLANCES ENTRE ARTICLE DE PRESSE, CRITIQUE ET ÉDITORIAL

Attention !
Les trois types de textes dont il sera question dans ce chapitre, sont – tous les trois – des textes journalistiques.
Bien qu'il y ait beaucoup de points communs, des différences subsistent. Voici un tableau général qui vous aidera dans leur rédaction.
Étant des textes assez « souples » dans leur forme ainsi que dans leurs contenus, nous vous invitons cependant à lire attentivement les parties introductives des chapitres 5, 6, 7.

Légende : ☐ Ressemblances
☐ Différences

	Combien de documents déclencheurs y a-t-il ?	Puis-je reprendre des phrases du document déclencheur ?	Puis-je donner mon opinion ?	Puis-je utiliser le pronom personnel « je » ?	Puis-je organiser les idées à ma manière ?	Quelle est la nature du document déclencheur ?
ARTICLES DE PRESSE	Variable	Non	Non	Non	Oui, vous êtes invité à organiser, à votre manière, les idées essentielles du texte de départ.	Journalistique
CRITIQUES	Variable	Non	Oui	Oui	Oui, vous êtes invité à organiser, à votre manière, les idées essentielles du texte de départ.	Journalistique
ÉDITORIAUX	Variable	Non	Oui	Oui	Oui, vous êtes invité à organiser, à votre manière, les idées essentielles du texte de départ.	Journalistique

Chapitre 5
L'article de presse

L'ARTICLE DE PRESSE, QU'EST-CE QUE C'EST ?

Nous qualifierons d'article tout texte publié dans les médias (quotidiens, hebdomadaires, mensuels, presse spécialisée, etc.) ayant pour but principal de décrire et d'informer le lecteur sur un événement, un fait.

L'article de presse peut avoir différentes fonctions. Comme nous venons de le dire, la fonction principale d'un article est de décrire/d'informer le lecteur d'un événement qui vient de se passer (dans la société, en politique, dans la culture, un fait divers, etc.), mais il peut aussi recouvrir d'autres fonctions : **donner une opinion** et **commenter** (l'éditorial ou le portrait, par exemple), **expliquer** et **divulguer** (les articles de vulgarisation scientifique, par exemple), **formuler des hypothèses** (l'enquête, par exemple). Dans ce chapitre, nous traiterons uniquement des articles de presse ayant comme objectif principal de donner au lecteur une information – synthétique ou détaillée – de la manière la plus objective possible ; il s'agit donc d'articles informatifs.

RÈGLES GÉNÉRALES

Qu'il soit bref (une brève) ou long (la rédaction détaillée d'un fait divers), le scripteur doit suivre des « règles » quant à la « mise en texte » de l'information qu'il veut transmettre, et ceci par rapport aux trois points suivants :
1. l'objectif général de l'article : relater un fait de manière plus ou moins détaillée ;
2. sa fonction principale : décrire/informer ;
3. l'effet que le journaliste veut produire chez les lecteurs : faire réagir ? sensibiliser ? émouvoir ?

Ces règles sont en conséquence liées à :
- la **situation de production** de ce texte : un « angle d'attaque » particulier sera choisi selon le type de journal pour lequel le journaliste écrit ou encore selon le public auquel il s'adresse ;
- le **type** d'article (brève, article de fond, enquête, interview) ;
- les **contenus** abordés (faits divers, faits de société, économie, politique, culture…).

Pour relater des événements, les articles peuvent être aussi complétés par des données iconographiques : des photos, des encadrés, des dessins humoristiques, etc.

L'article de presse

COMMENT PRÉPARER LA RÉDACTION D'UN ARTICLE DE PRESSE ?

Avant d'écrire un article, il est nécessaire d'effectuer des choix préalables qui orienteront le rédacteur, entre autres, sur les éléments linguistiques à utiliser lors de la rédaction. Ces choix concernent :

La forme

La forme dépend du genre d'article à écrire (brève, critique, interview, etc.).
Les articles de presse ont une longueur variable. Les **brèves**, par exemple, ne dépassent pas cinq à dix lignes, alors que les **articles de fond** (c'est-à-dire ceux qui traitent des événements les plus importants du jour) peuvent aller d'une colonne à plusieurs pages (comme le reportage).
Quelle que soit sa longueur, tout article doit au moins répondre à ces quatre questions de base :

– Qui ? – Quand ?
– Quoi ? – Où ?

La réponse à ces questions clés constitue l'information essentielle sur un événement.
L'information peut être éventuellement détaillée davantage en répondant au *Pourquoi ?* et au *Comment ?* et en ajoutant les *conséquences.*
Pour écrire des articles plus détaillés, il est recommandé de donner tout d'abord l'information la plus importante et de distribuer les informations secondaires (ce qu'on pourrait appeler les détails) dans les paragraphes suivants. C'est ce qu'on appelle la « pyramide renversée », c'est-à-dire que les informations sont présentées selon un ordre décroissant d'importance.

Parmi les différents types d'articles, seront travaillés dans cette partie :
1. la brève, c'est-à-dire l'information dans sa forme la plus succincte ;
2. l'article de fond, c'est-à-dire l'article long et détaillé ;
3. l'interview.

La thématisation

La thématisation, c'est ce que nous appelons plus haut l'« **angle d'attaque** » à privilégier. Il s'agit de choisir, de déterminer l'élément à mettre le plus en valeur en fonction de sa « place » dans l'événement. Rappelez-vous que « thématiser » signifie répondre aux questions suivantes :
• **Comment dois-je relater cet événement ?** En fonction du type du journal et des caractéristiques du public auquel le journaliste s'adresse, l'information peut en effet subir des modifications. Cela dépend de la « ligne éditoriale » choisie par le journal, qui le caractérise (journal grand public, journal plus engagé politiquement, journal renvoyant à une ligne de conduite politique précise, journal s'adressant à un public ciblé [jeunes, sportifs, femmes, amis des animaux, amateurs de musique...]).
• **Que vais-je thématiser ?** L'information, les hypothèses, les témoignages. Autrement dit : l'article relate-t-il l'événement tout simplement, ou bien l'information est-elle analysée, expliquée, voire commentée ? Ce choix détermine la structure linguistique et discursive que vous devrez privilégier.

Le repérage temporel

Le repérage temporel indique de quelle manière le journaliste se situe dans le temps par rapport au fait relaté. Ceci est un point essentiel car c'est ce qui permet de situer l'événement dans le temps.

L'article de presse

D'une manière générale, on choisit entre deux types de repérages :

1. **Le repérage temporel fondé sur l'énonciation**, c'est-à-dire sur le moment où le journaliste rédige l'article. Dans ce premier cas, c'est le moment où l'on écrit qui sert de point de repère. Le système temporel s'appuie en conséquence sur le **présent** (moi/ici/maintenant) qui est le temps de base (exemple, texte 1). Si l'événement est antérieur au moment de l'écriture, le journaliste aura donc recours aux **temps du passé** (passé composé, imparfait, conditionnel présent avec la valeur de futur dans le passé) et aux connecteurs temporels : *hier, demain, la semaine dernière, le mois passé*, etc. (exemple, texte 2).

Voyez ci-dessous les deux exemples de repérage fondés sur l'énonciation.

TEXTE 1

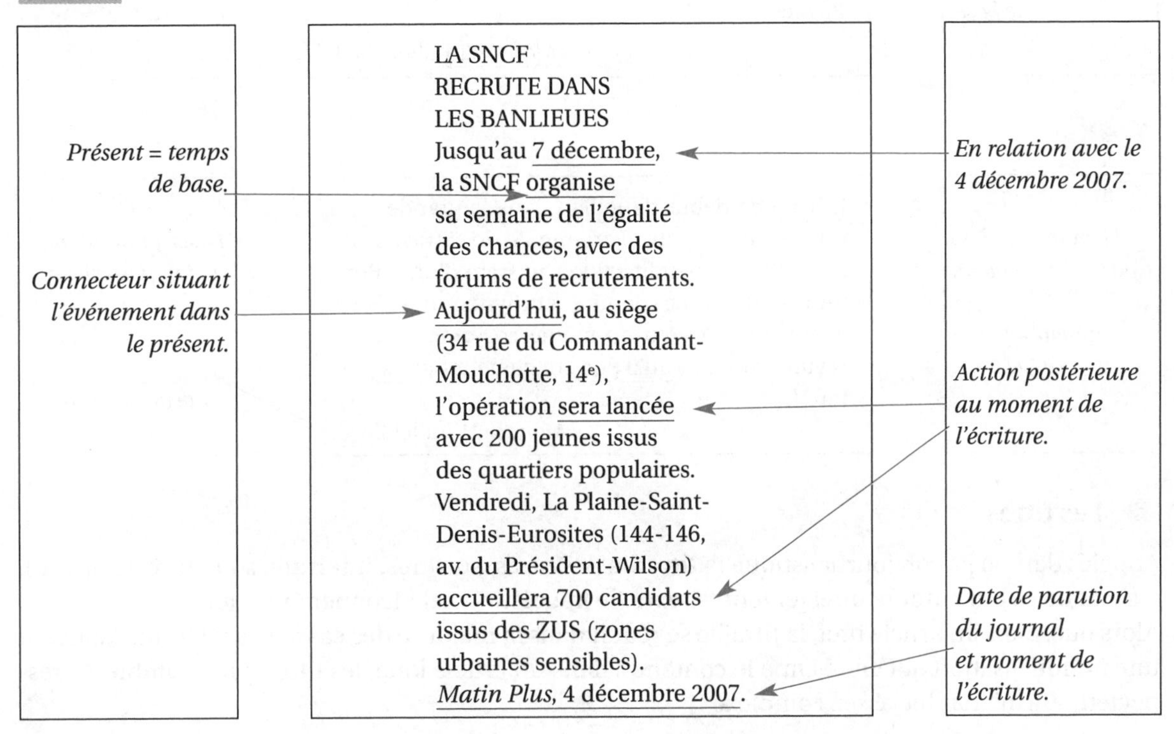

LA SNCF
RECRUTE DANS
LES BANLIEUES
Jusqu'au 7 décembre, la SNCF organise sa semaine de l'égalité des chances, avec des forums de recrutements. Aujourd'hui, au siège (34 rue du Commandant-Mouchotte, 14e), l'opération sera lancée avec 200 jeunes issus des quartiers populaires. Vendredi, La Plaine-Saint-Denis-Eurosites (144-146, av. du Président-Wilson) accueillera 700 candidats issus des ZUS (zones urbaines sensibles).
Matin Plus, 4 décembre 2007.

Présent = temps de base.
Connecteur situant l'événement dans le présent.
En relation avec le 4 décembre 2007.
Action postérieure au moment de l'écriture.
Date de parution du journal et moment de l'écriture.

TEXTE 2

Jour où se passe l'événement relaté.

Description d'une action antérieure au moment de l'écriture.

> À la Bourse, dans la matinée du *vendredi 25 janvier*, l'action Société générale *s'échangeait* en légère hausse […]
>
> *Société générale : après le choc, les questions et l'inquiétude*
> *© Le Monde, 26/01/2008.*

Date de parution du journal et moment de l'écriture.

L'article de presse

2. **Le repérage fondé sur l'événement** que le journaliste relate, donc sur le moment où l'événement s'est déroulé. Dans ce deuxième cas, l'expression du temps est déterminée en fonction du moment et du lieu où l'événement s'est passé (ou se passera), et le système temporel est en conséquence décalé à cette époque-là (emploi du présent de l'indicatif) : on le raconte comme si l'on y était.

TEXTE 3

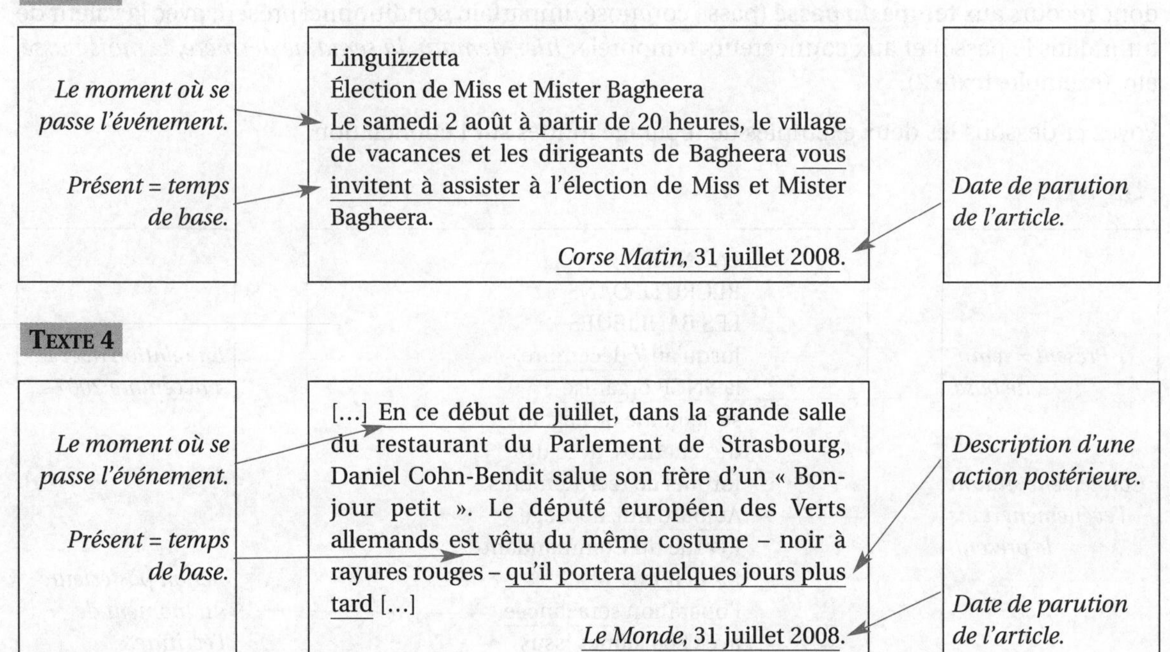

Le moment où se passe l'événement.
Présent = temps de base.
Linguizzetta
Élection de Miss et Mister Bagheera
Le samedi 2 août à partir de 20 heures, le village de vacances et les dirigeants de Bagheera vous invitent à assister à l'élection de Miss et Mister Bagheera.
Corse Matin, 31 juillet 2008.
Date de parution de l'article.
TEXTE 4
Le moment où se passe l'événement.
Présent = temps de base.
[...] En ce début de juillet, dans la grande salle du restaurant du Parlement de Strasbourg, Daniel Cohn-Bendit salue son frère d'un « Bonjour petit ». Le député européen des Verts allemands est vêtu du même costume – noir à rayures rouges – qu'il portera quelques jours plus tard [...]
Le Monde, 31 juillet 2008.
Description d'une action postérieure.
Date de parution de l'article.

Les titres

Appelés dans le jargon journalistique la **titraille** (les titres, surtitres, intertitre, sous-titre, chapeau), il s'agit de ce qui entoure directement le **texte** (le linguistique et l'iconographique).
Alors que, dans un article bref, la titraille se réduit dans la majorité des cas à un seul terme (souvent une nominalisation qui en résume le contenu), dans un article long, les titres, plus nombreux, respectent une hiérarchie assez complexe.

On distingue en effet :

Surtitre
Titre
Sous-titre
Chapeau
Intertitres

D'une manière générale, on utilise pour le **titre** des caractères nettement plus épais et plus gros que pour le texte, pour les **sous-titres** (et les **surtitres**) des caractères un peu plus petits et le gras ; enfin, le **chapeau** (appelé également **chapô**), qui peut avoir des fonctions diverses et variées (informer davantage, persuader, attirer l'attention), est souvent en italique et/ou en gras pour attirer le regard du lecteur.

Voyons maintenant plus en détail les différentes parties qui constituent la titraille.

• **Le titre** d'un article a deux fonctions principales : attirer l'attention et délivrer un message ; il doit donc être conçu sur les plans visuel et informatif. Il existe deux types de titres :
– **le titre informatif** qui comporte l'essentiel de l'information (qui ? quoi ? où ? quand ?) ;
– **le titre incitatif** dont le but principal est d'éveiller la curiosité du lecteur. Dans ce cas, le journaliste a principalement recours aux jeux de mots et aux calembours. Par exemple, dans le titre : « *Turin, une sensibilité à fleur de Pô* » (*TGV magazine*, février 2008), le journaliste joue avec une expression figée (« à fleur de peau » qui signifie « sensible ») et réalise un jeu de mots avec le nom du fleuve qui passe par la ville de Turin (le Pô) et dont la prononciation est semblable à celle de « peau ».
• **Les sous-titres** donnent des informations complémentaires.
• **Les intertitres** servent à reposer l'œil du lecteur, surtout si l'article est long. Ils marquent une pause, une respiration. En général, les intertitres reprennent des mots et expressions extraits de l'article.
• **Le chapeau**, placé entre le titre et le début de l'article, est un texte court qui permet au journaliste (donc vous !) de faire connaître l'essentiel de l'article (sans pour autant devoir répondre à toutes les questions principales) et d'annoncer ce dont il va parler.

TEXTE 5

9 décembre 2007 **Le Journal du Dimanche**

Climat. Tensions entre les 190 pays à la veille de la conférence des Nations unis à Bali

La planète cherche un après-Kyoto

« L'Europe joue un rôle d'avant-garde »

Jacques Barrot, vice-président de la Commission européenne et commissaire aux Transports, explique au JDD le rôle de l'Europe à la conférence sur le climat.

RÉDIGER UNE BRÈVE

Relater un événement par une **brève** signifie :
– donner une information synthétique, brute, compactée en un minimum de mots ;
– rapporter simplement l'information sans ajouter de commentaire ;
– se limiter à répondre aux questions clés (qui ? quoi ? quand ? où ? éventuellement pourquoi ? comment ?) ;
– ne pas dépasser cinq à sept lignes.

Pour ce qui concerne le côté linguistique, **quelques procédés récurrents** sont utilisés dans les brèves :
– l'emploi des **adverbes de temps** pour situer l'événement ;
– l'emploi de la **forme passive** avec, dans la majorité des cas, la suppression du complément d'agent ;
– l'emploi de la **nominalisation** ;
– l'emploi des **pronoms relatifs**.

Ces trois derniers procédés sont principalement utilisés pour « faire court », pour simplifier la structure des énoncés (nominalisation, voix passive), ou encore pour relier les phrases entre elles (pronom relatif simple).

Observez la manière dont est construite une brève ainsi que les procédés linguistiques significatifs dans les trois exemples proposés ci-après (textes 6, 7 et 8).

TEXTE 6

OBÉSITÉ. Le Mexicain Manuel Uribe, considéré en 2007 par le livre des Guinness des records comme l'homme le plus gros du monde, a perdu 230 kg. Grâce à un régime spécial entamé en 2006, après avoir pesé jusqu'à 570 kg.

Paru dans *Le Figaro*, le 14/02/2008. © *Le Figaro*, 2008.

Qui ?	Le Mexicain Manuel Uribe
Quoi ?	Perte de 230 kg
Quand ?	De 2006 à 2008
Où ?	Au Mexique
Comment ?	Grâce à un régime spécial
Pourquoi ?	Ø

TEXTE 7

AMÉNAGEMENT. Le maire du XVe, René Galy-Dejean (UMP), a salué hier le projet de regroupement du ministère de la Défense et des états-majors sur un seul site, un « Pentagone à la française » qui serait situé dans son arrondissement.

Métro, 11 décembre 2007.

Qui ?	Le maire du XVe arrondissement René Galy-Dejean
Quoi ?	Manifeste son accord pour le projet d'un « Pentagone à la française »
Quand ?	Hier (le 10 décembre 2007)
Où ?	À Paris
Comment ?	Ø
Pourquoi ?	Ø

TEXTE 8

AIX-EN-PROVENCE. Cinq des six incendiaires d'un bus marseillais dans lequel Mama Galledou avait été grièvement brûlée en 2006 ont été condamnés vendredi à des peines allant de cinq ans à neuf ans de prison. L'un des accusés a été acquitté.

Métro, 10 décembre 2007.

Qui ?	Six incendiaires	Mama Galledou
Quoi ?	Cinq condamnations et un acquittement	Incendie dans un bus
Quand ?	Vendredi	En 2006
Où ?	Aix-en-Provence	Marseille
Comment ?	Ø	Ø
Pourquoi ?	Incendie dans un bus marseillais	Ø
Conséquences	Une blessée	Brûlures graves

Procédés linguistiques récurrents			
	Texte 6	**Texte 7**	**Texte 8**
Adverbes de temps	– en 2007 – en 2006	hier	– en 2006 – vendredi
Nominalisation	obésité	aménagement	
Forme passive	considéré par le livre des Guiness des records	Ø	– avait été grièvement brûlée – ont été condamnés – a été acquitté
Pronoms relatifs	Ø	qui serait situé…	dans lequel

RÉDIGER UN ARTICLE INFORMATIF LONG

Un article long se compose en général de trois parties :
– la **présentation générale** (titre, surtitre et/ou sous-titre, chapeau) ;
– le **déroulement** détaillé des actions (partie centrale de l'article, où l'on précise également le *comment* et le *pourquoi* et où on peut avoir recours à des témoignages, citations, hypothèses sur le fait relaté, etc.) ;
– la **clôture**.

Les variations d'un article long à un autre ne se situent pas tant au niveau de la structure que dans la manière de mettre en texte l'événement dont il est question. Ainsi que nous l'avons souligné, cette variation est étroitement liée à la modification des relations qui s'établissent entre le journaliste, son public et le fait relaté.

Dans l'article qui suit, un fait de société, observons la distinction entre les **trois parties** évoquées ci-dessus, ainsi que d'autres phénomènes caractérisant ce genre de texte.

L'article de presse

TEXTE 9

Objectif nature

Le casse-tête des déchets. Plusieurs lois ont sombré dans l'océan d'ordures produit chaque année en France. Le Grenelle de l'environnement veut donner la priorité au recyclage. Vaste chantier. *(titre informatif)*

Chaque année, la poubelle des Français accroît sa surcharge pondérale de 1 à 2 %, en dépit de toutes les campagnes d'information et d'incitation à une très nécessaire cure d'amaigrissement… Au Grenelle de l'environnement, la question a été jugée si vaste qu'elle a fait l'objet d'un intergroupe spécifique. Sur sa table, les quelques 627 millions de tonnes de déchets produits dans l'Hexagone en 2007. ***(Introduction : Quoi ? GÉRER, RÉDUIRE LES DÉCHETS. Qui ? LES FRANÇAIS. Pourquoi ? IL Y EN A TROP.)***

Dans ce volume impressionnant, la part des ménages représente environ 4 %, soit, en moyenne, 1 kg de déchets par personne et par jour confié aux différentes filières de traitement. L'an passé, 40 % de ces déchets étaient envoyés aux décharges et 42 % aux incinérateurs. Le reste étant valorisé à hauteur de 12 % par le recyclage et de 6 % par le compostage. ***(détails des informations annoncés = recours aux pourcentages)***

Produire moins *(intertitre)*

Très insuffisant pour les organisations environnementalistes qui n'oublient jamais de citer en exemple d'autres pays européens où la part de la valorisation est nettement plus élevée : 60 % en Autriche, 47 % en Suisse ou encore 56 % en Norvège. Le Grenelle tombait donc à point nommé pour tenter de remettre de l'ordre. Bilan après six mois de débats : « *un compromis flou qui est loin de la révolution écologique annoncée* », soupire Florence Couraud, la directrice du Centre national d'information indépendante sur les déchets (Cniid). Il est vrai que les écolos n'ont pas digéré la fin de non-recevoir que Jean-Louis Borloo* ***(note de bas de page : Qui ?)***, patron du ministère de l'Écologie, leur a signifiée au sujet du moratoire qu'ils réclamaient contre l'installation de nouveaux incinérateurs, notamment celui de Fos-sur-mer, un investissement de 291 millions d'euros censé soulager de ses tonnes d'apports quotidiens l'énorme gisement d'ordures de la décharge d'Entressens, point de convergence des déchets de l'agglomération marseillaise.

« *Le problème des déchets est toujours vu sous l'angle de l'élimination, alors que la réponse se trouve en amont. Il faut simplement en produire moins* », souligne Florence Couraud. Sans écarter l'incinération, la table ronde a toutefois défini un plan d'action dont l'ambition est de réduire de 5 kg par habitant et par an sur 5 ans la production d'ordures ménagères, mais aussi d'atteindre 75 % de recyclage des emballages en 2012 contre 60 % en 2006 ou encore de diminuer de 15 % d'ici quatre ans le volume de déchets destinés à l'enfouissement ou à l'incinération.

Suremballage effrayant *(intertitre)*

« *Cet objectif est d'ores et déjà réalisé par d'autres pays, comme la Belgique ou l'Autriche. On reste tout juste dans la moyenne* », ajoute la directrice du Cniid. L'association se bat surtout contre l'emballage ménager. Même si son tonnage semble diminuer avec l'usage plus important du plastique, il pèse toujours 30 % du poids de la poubelle. Une des mesures positive du Grenelle a été d'augmenter de 56 à 80 % la contribution que les producteurs d'emballages doivent financer pour la couverture des coûts de collecte, de tri et de traitement, « *mais rien ne dit qu'ils feront des efforts d'éco-conception de leur packaging* », observe Florence Couraud.

* J.-L. Borloo est actuellement ministre d'État, ministre de l'Écologie, de l'Énergie, du Développement durable et de l'Aménagement du territoire.

Et les consommateurs ? En plein Grenelle, une étude de l'Agence de la maîtrise de l'énergie (Ademe) a démontré que les Français pouvaient produire deux fois moins de déchets, simplement en modifiant leurs comportements dans les grandes surfaces.
La clé ? Privilégier le fromage à la coupe plutôt que les mini-portions suremballées, acheter des fruits et légumes au détail plutôt que sous film plastique, opter pour l'eau du robinet plutôt que l'eau en bouteilles, utiliser des éco-recharges pour les produits d'entretien ou la lessive : « Il n'y a pas de petits gestes si nous sommes 60 millions à le faire », affirme l'Ademe. ***(corps de l'article : explication détaillée des faits)***
Bien vu, d'autant plus que l'Agence a estimé à 600 euros par an l'économie réalisée pour chaque ménage. Et en ces temps d'érosion du pouvoir d'achat, la ristourne n'est pas négligeable. ***(conclusion, ouverture, commentaire du journaliste)***

Ce texte est un article informatif sur un problème de société. Il informe et fait le point sur la situation des déchets en France et sur les résolutions concernant leur production et leur destruction proposées par le Grenelle de l'environnement*.
Vous remarquez tout d'abord la construction en trois parties qui sont, ici, facilement identifiables. Ensuite, dans la partie centrale de l'article – ce qu'on appelle le développement –, il est intéressant de noter deux phénomènes récurrents :
- l'emploi fréquent de chiffres et de pourcentages ;
- l'emploi de ce qu'on peut qualifier d'appel à « témoins » (Cniid, Ademe).

En effet, comme il s'agit d'informer le lecteur sur un problème d'actualité délicat, le journaliste s'appuie sur les chiffres/pourcentages et sur la voix des « témoins » concernés, à la fois :
- pour être crédible,
- pour accentuer sur le caractère objectif de son texte.

Par conséquent, dès que vous aurez à écrire un article informatif détaillé, les chiffres, les pourcentages, les témoignages des « experts » (au discours direct ou au discours rapporté), les encadrés explicatifs, etc., seront autant de données sur lesquelles vous pourrez appuyer votre rédaction.

Dans le **texte 10**, vous remarquerez également l'emploi de chiffres, pourcentages, dates et témoignages, ainsi que l'emploi d'un encadré (en haut à droite). L'encadré a, ici, une fonction « didactique », c'est-à-dire que le journaliste s'en sert pour faire un bref historique et un rappel sur les langues officielles de l'Union européenne.

* Il s'agit d'un ensemble de rencontres politiques organisées en France, en octobre 2007, dont l'objectif est de prendre des décisions à long terme en matière d'environnement et de développement durable. Le terme « Grenelle » renvoie aux accords de Grenelle qui ont eu lieu en mai 1968.

Texte 10

Le multilinguisme selon Bruxelles…

L'Union européenne ! Vingt-sept pays membres, vingt-trois langues officielles, trois alphabets différents et même un nouveau commissaire européen chargé uniquement du multilinguisme. Cette belle diversité ne résiste pourtant pas à la monoculture ambiante ? L'anglais est prédominant. Le français recule, l'allemand aussi. L'espagnol se fait presque oublier.
Pour s'adresser à chacun, ou presque, dans sa langue maternelle, les institutions européennes ont à leur disposition une armée de traducteurs. Le coût annuel de ces services linguistiques (traduction et interprétation) s'est élevé en 2006 à 800 millions d'euros. Moins de 1 % du budget total de l'UE, soit 1,76 euro par citoyen… Ce qui n'est pas grand-chose !

VINGT-TROIS LANGUES OFFICIELLES POUR L'UNION EUROPÉENNE

Avant le 1er mai 2004, l'UE comptait onze langues : l'allemand, l'anglais, le danois, l'espagnol, le finnois, le français, le grec, l'italien, le néerlandais, le portugais et le suédois. L'élargissement en a ajouté neuf : l'estonien, le hongrois, le letton, le lituanien, le maltais, le polonais, le slovaque, le slovène et le tchèque. Le maltais, langue officielle depuis 2004, est parlé par 300 000 locuteurs. Des dispositions particulières sont envisagées pour des langues régionales, telles que le catalan, le valencien, le basque et le galicien… pour l'instant à la charge de l'État espagnol. L'irlandais est devenu la 21e langue officielle au 1er janvier 2007. Le bulgare et le roumain ont fait leur entrée le janvier 2007.

M.-C. S.

Contraintes techniques et humaines ?

Toutes les institutions communautaires, grandes ou petites, ont à gérer des situations qui frisent parfois l'absurde. Au Parlement européen, pas de préséance linguistique : chaque langue a la même importance. Tout est traduit. En vingt-trois langues. Les documents préparatoires, amendements, rapports, avis, convocations, documents de séance… Une correction intervient ? tout est à refaire. On imagine la masse de papiers en circulation et le travail des 700 traducteurs du PE. Problème : avec les derniers élargissements, on est passé à 506 combinaisons linguistiques possibles (vingt-trois langues officielles traduisibles dans les vingt-deux autres) et il devient difficile de trouver des traducteurs capables de jongler d'une langue à l'autre, notamment dans les langues les moins répandues de l'union. Pour traduire les textes rédigés dans ces langues, le PE a mis en place un système de langues « relais » (anglais, français, allemand) dans lesquelles les textes sont d'abord traduits.
La Commission emploie 1 750 traducteurs à plein-temps, 600 administratifs rattachés au service linguistique, ainsi que des traducteurs externes appartenant à l'Union. En 2006, la Direction générale Traduction automatique est mise à l'épreuve, mais elle souffre du syndrome de « je suis un homme » (« *I am a man* » ou bien « *I follow a man* » ?). Toute la législation et les documents d'importance politique majeure sont publiés dans les vingt-trois langues. Les documents officiels sont disponibles dans les langues officielles à la date de leur publication. Les documents juridiques non contraignants sont généralement publiés en anglais, parfois aussi en français et en allemand, de moins en moins souvent. Pour en finir, la Commission a limité la longueur des textes. Voilà pour le principe.

Anglophonie galopante

En réalité, il suffit de naviguer sur Internet pour se trouver bien vite sur les eaux anglo-saxonnes. L'anglais domine et, souvent, les pages annoncées dans d'autres langues ne résistent pas dès le deuxième ou le troisième clic. D'une façon générale, les sites Internet officiels et leurs mises à jour sont en anglais. Les traductions sont promises mais avec des délais. Pour qui a besoin d'une information immédiate, le choix est fait d'avance. L'anglais n'est plus seulement dominant, il devient impérial. Et quel anglais ! Un sabir technocratique – que les Eurocrates français ne daignent pas d'employer – à des années lumière de la belle langue de Shakespeare ? Un texte rédigé dans un anglais un peu trop subtil est réécrit dans une version anglaise… « simplifiée ».
À quoi sert donc Léonard Orban, le Commissaire européen au multilinguisme ? Catherine Colonna, alors ministre française déléguée aux affaires européennes, protestait devant « le monolinguisme d'un grand nombre de sites internet de la Commission », selon elle « inexplicable »… sauf par la puissance des groupes de pression anglais ! Et de rappeler que le multilinguisme est « un élément essentiel de l'identité culturelle européenne ». M. Orban va-t-il taper sur les doigts de sa collègue, Margot Wallström, la commissaire suédoise chargée de la communication suédoise qui méconnaît totalement le français ? Décidément, la Commission a du mal à croire que l'Europe entière ne parle pas cette langue.

Marie-Christine Simonet, *Le français dans le monde*, n° 355.

Dans le **texte 11**, vous observerez l'utilisation massive de citations (paroles rapportées). Nous avons souligné les verbes qui introduisent une citation.

TEXTE 11

Pollution

« Erika » : Total veut bien être solvable mais pas coupable

Il avait encore jusqu'à à la semaine prochaine pour réfléchir, mais Total, vendredi, a pris sa décision, pesée dans ses moindres détails.

Alors que beaucoup s'attendaient à le voir faire acte de contrition et brandir bravement son panache vert, le groupe pétrolier a choisi de faire appel de sa condamnation pour « pollution maritime » dans le naufrage du pétrolier Erika le 12 décembre 1999. Un appel pour le principe : le groupe estime la décision de justice rendue le 16 janvier « *injustifiée et allant à l'encontre du but recherché : améliorer la sécurité dans le transport maritime* », mais s'engage parallèlement à « *verser immédiatement et de manière irrévocable aux victimes de la pollution les indemnités fixées par le tribunal* ».

« Poche profonde ». « *Total a déjà exercé sa solidarité à l'égard des victimes de la marée noire en versant dès le début 200 millions d'euros pour réparation des dégâts causés* », nous **a expliqué** vendredi soir l'avocat de Total, Me Soulez-Larivière après avoir déposé, à 17 h 30, la décision d'appel. « *J'ai dit au tribunal que cette solidarité n'était pas terminée et continuerait à s'exercer. C'est pourquoi nous allons payer tout ce qu'on nous réclame, rubis sur l'ongle et de façon définitive, quel que soit le résultat de l'appel.* » « *Mais,* **poursuit** *l'avocat, ce n'est pas parce que l'on exerce une solidarité qu'on doit assumer une responsabilité. On nous reproche les travaux de réparation du navire qui avaient été mal faits. Mais depuis quand celui qui utilise doit être aussi celui qui contrôle ?* » « *Si j'avais pu refermer [ce dossier] je l'aurais fait croyez-moi,* **justifie** ce samedi dans Ouest-France le patron du groupe, Christophe de Margerie. *Je le fais par devoir de chef d'entreprise. Ce jugement-là s'en prend à la « poche profonde », au groupe qui fait des bénéfices, mais il ne contribue pas à responsabiliser toute la chaîne maritime.* »

« Dommage ». Un argumentaire qui ne convainc pas les parties civiles. « *Après sept ans d'enquête et quatre mois de procès, il était avéré que Total était au courant qu'il faisait transporter son pétrole par un navire poubelle,* **rappelait** vendredi soir Alain Bougrain-Dubourg, président de la Ligue de protection des oiseaux. *Cette attitude de compassion, c'est indécent* ». La LPO envisage, « *puisque Total veut y aller* », de demander une révision à la hausse des dommages et intérêts accordés au nom du préjudice écologique. Idem pour Greenpeace, qui continue de réclamer 1 milliard d'euros en tout : « *Comme d'habitude, Total veut bien payer un peu mais ne veut pas assumer sa responsabilité juridique. C'est scandaleux* », a **réagi** Yannick Jadot.

« *Comme avocate, je recommanderai à mes clients de ne pas accepter cette offre,* **renchérit** Corinne Lepage, qui représentait les collectivités locales au procès. *Je pense que notre combat n'était pas seulement pour de l'argent. Comme citoyenne,* poursuit l'avocate, *je trouve surtout ça dommage : le tribunal avait donné sur un plateau d'argent la possibilité à Total de s'en sortir par le haut. Le groupe a raté l'occasion.* »

© Alexandra Schwartzbrod, *Libération*, 26/01/2008.

Il n'est pas rare que le journaliste ait recours aux citations dans un article qui relate de manière détaillée un fait.

Les citations sont parfois insérées dans le texte par des verbes « introducteurs » : *dire, affirmer, expliquer, poursuivre, justifier, rappeler, réagir, renchérir, regretter, observer, soupirer*… D'autres fois, elles sont assimilées dans le corps du texte (« La LPO envisage, "*puisque Total veut y aller*", de demander une révision à la hausse des dommages et intérêts accordés au nom de préjudice écologique ») ; dans ce deuxième cas, l'insertion est signalée par l'emploi de l'italique et parfois de guillemets, qui servent à délimiter visuellement la parole des « témoins ».

Pour ce qui concerne les personnes citées, elles recouvrent des rôles très variés. Elles peuvent être des témoins, des experts ou encore des instances publiques ou politiques. Dans l'article précédent, les citations proviennent d'**experts**: ils expliquent, informent, précisent. Leurs interventions donnent de l'objectivité aux faits exposés par le journaliste. D'une manière générale, lorsqu'il s'agit d'experts, le journaliste rappelle aux lecteurs leur nom et leur fonction. Ainsi: « Alain Bougrain-Dubourg, président de la Ligue de protection des oiseaux »; « l'avocat de Total, Me Soulez-Larivière »; « le patron du groupe, Christophe de Margerie », etc.

Dans l'article ci-dessous, tiré d'un **fait divers** (titre de la rubrique), vous pouvez observer un phénomène intéressant: l'emploi de termes divers qui renvoient à la même personne, ici à « la jeune femme recherchée ».

TEXTE 12

LES **FAITS DIVERS**

Une mystérieuse femme activement recherchée

COLIS PIÉGÉ. Les policiers recherchent depuis avant-hier **la jeune fille qui**, un casque sur la tête, a livré un sac contenant le paquet mortel qui a explosé dans un cabinet d'avocats, tuant une secrétaire. Le suspect en garde à vue hier devrait être mis hors de cause.

ELLE a une vingtaine d'années, le teint mat, mesure environ 1,55 m et fait courir des dizaines de policiers depuis avant-hier. **Cette mystérieuse jeune fille**, c'est **la coursière qui** a livré un gros sac contenant trois colis au 4e étage du 52, boulevard Malesherbes, jeudi juste avant 12h50, et qui demeure introuvable. L'un des colis destinés nommément à Me Olivier Brane a explosé lorsque Jacqueline, 74 ans, secrétaire du cabinet, l'a ouvert. Grièvement blessée, elle est morte dans l'après-midi. Me Olivier Brane se trouvait apparemment à proximité directe de sa secrétaire. Il a été très sérieusement touché à un œil et aux mains. Juste après l'explosion, il aurait crié à son associée: « Attention Catherine, l'autre colis est pour toi. » Me Brane a pu être entendu hier après-midi dans sa chambre de la Pitié-Salpêtrière par les enquêteurs de la section antiterroriste de la brigade anticriminelle de Paris. Son témoignage permettra sans doute d'affiner la description de la **jeune fille qui** a déposé le colis et orientera peut-être les policiers sur de nouvelles pistes. Hier, les enquêteurs ont aussi entrepris des vérifications minutieuses dans plusieurs sociétés de courses et de livraisons de Paris et de sa proche banlieue pour tenter de retrouver la trace de **celle qui** est qualifiée aujourd'hui de « **témoin principal** ».

« *Un lâche et ignoble attentat* »

Hier toujours, les policiers ont refermé une première porte dans l'enquête. Jeudi soir, peu avant minuit, ils ont interpellé et placé en garde à vue Claude S., un architecte qui avait été l'objet d'une plainte pour « harcèlement » déposée en 2005 par Me Catherine Gouet-Jenselme, l'associé de Me Brane. Cet homme qui avait habité quelques années à Montmartre où il a laissé un souvenir plutôt neutre à ses voisins n'a, semble-t-il, aucun lien avec l'explosion de jeudi. Sa garde à vue a tout de même été prolongée hier soir pour d'ultimes vérifications.

Cette première piste « privée » ne semblant pas aboutir, les enquêteurs vont donc continuer à creuser toutes les autres hypothèses, comme celle d'un différent professionnel avec un client de ce cabinet spécialisé dans les affaires immobilières. Hier soir, Catherine Gouet-Jenselme se

50 disait « abasourdie » par « ce lâche et ignoble attentat » et avouait penser surtout à la victime, « une femme belle, profonde et généreuse », et à son associé Me Brane.

Les policiers se posent évidemment la question de cette livraison mixte comprenant des 55 cadeaux, champagne et chocolats, mais aussi une charge explosive dans un autre paquet. Hier soir, on ignorait encore la nature exacte de l'explosif utilisé.

« Mais l'urgence, c'est de retrouver **cette** 60 **jeune femme** », confirme une source judiciaire. **Une jeune femme qui** aurait quitté les locaux, **son** casque sur la tête mais la visière relevée, quelques instants seulement avant l'explosion.

Le Parisien, 8 décembre 2007.

Les termes utilisés dans cet article sont les suivants : *une mystérieuse femme, la jeune fille, elle, cette mystérieuse jeune fille, la coursière qui, la jeune fille qui, celle qui, témoin principal, cette jeune femme, une jeune femme qui, son casque* (le casque de la jeune femme).
Tous ces termes (substantifs, adjectifs, pronoms, etc.) sont en relation entre eux. Ce ne sont pas des synonymes, mais ils renvoient à un même objet dans ce texte précis. Autrement dit, ces termes deviennent synonymes dans ce contexte particulier : ce sont des **anaphoriques**.
Comme vous l'avez vu dans le chapitre 1, les anaphoriques sont un procédé utilisé pour reformuler (sans répéter), mais ils assurent également la cohésion et la cohérence du texte : ils relient les énoncés entre eux, donc les idées entre elles.

Dans le texte suivant – qu'on annonce par le terme « enquête » – le journaliste informe le lecteur et fait des hypothèses, c'est-à-dire (se) pose des questions sur les faits relatés.

TEXTE 13

ENQUÊTE

Disparue il y a douze ans, Marguerite Duras continue de fasciner. De nombreux spécialistes espèrent encore découvrir des inédits. La piste la plus suivie est celle des romans sentimentaux que la romancière aurait écrits pendant la guerre à des fins alimentaires. En mettant la main sur « Heures chaudes », roman à l'eau de rose signé M. Donnadieu et publié en 1941, Dominique Noguez vient-il d'en dénicher un ? Ou s'amuse-t-on à croire à cette belle histoire ?

Qui est M. Donnadieu ?

« Heures chaudes » a-t-il été écrit dans sa jeunesse par l'auteur de « L'amant » ? Dominique Noguez, qui a récemment retrouvé ce livre, voudrait y croire.

5 La TRAQUE a duré dix ans. Une décennie est le temps qu'il a fallu à l'écrivain Dominique Noguez pour mettre la main sur un roman au parfum inédit, peut-être un ouvrage de jeunesse de Marguerite Duras. Lorsqu'il tombe, il y a deux ans, sur une mise en vente sur Internet 10 de ce livre signé M. Donnadieu dont un ami lui a déjà parlé en 1996, Dominique Noguez n'hésite pas une seconde. Il pense alors tenir enfin l'un de ces fameux romans de gare que Marguerite Duras **aurait écrit** pendant la guerre. Nous sommes en 2006. Noguez passe 15 commande. Quelques jours plus tard, il rend visite au libraire de livres anciens tenant boutique près du marché Aligre à Paris. Le roman l'attend sous la forme d'un petit volume sans prétention de 195 pages imprimées, à la couverture jaunie. Son titre écrit à l'encre verte, *Heures* 20 *chaudes*, et plus encore cette lettre, M. devant Donnadieu, imprimée comme une promesse d'énigme à résoudre, relancent d'emblée la curiosité de l'acheteur. « *Je l'ai payé 25 €. Au vendeur qui s'étonnait, j'ai dit que M. Donadieu était le vrai nom de Marguerite Duras. Il a fait une drôle de* 25 *tête* », se souvient Dominique Noguez.
L'écrivain a pris un plaisir évident à raconter comme une farce cette aventure dans le dernier numéro de La *Revue*

littéraire (n° 33). Il rapporte comment il a endossé l'habit de détective littéraire et comment il s'est laissé prendre au jeu, traquant les indices dans cet ouvrage publié en 1941 par « Les Livres nouveaux », éditeur parisien qui périclita peu de temps après. « *Une colonne pour et une colonne contre. J'ai fait très simplement en prenant des notes tout au long de la lecture. À la fin, j'ai été surpris de constater que les deux colonnes étaient égales.* »

Une certaine météorologie des passions

Les indices tombés dans l'escarcelle de la colonne durassienne sont débusqués par un fin connaisseur. On doit notamment à cet auteur féru de cinéma expérimental un recueil intitulé *Duras Marguerite* (Flammarion) dans lequel est passée au crible son œuvre littéraire et cinématographique. Dominique Noguez croit d'emblée reconnaître la patte de l'auteur de *L'Amant* dans le titre qui laisse présager du climat de l'histoire. Dans le tableau, cet indice signale un auteur sensible à une certaine « météorologie de la passion ». Tout devient possible. La citation apposée sur la couverture est ainsi directement portée au bénéfice de la colonne des « pour ». « *Vous saurez qu'en ce pays on ne voit guère d'amours médiocres. Toutes les passions y sont démesurées.* » Cette épigraphe de Racine pourrait avoir été écrite par Marguerite Duras.

Dominique Noguez se replonge dans les biographies pour ferrer sa « romancière des amours extrêmes ». Celle de Laure Adler le conforte : l'auteur y rappelle que Duras fréquentait assidûment la Comédie-Française, qu'elle aimait plus que tout le tragédien. Devenue cinéaste, ne citera-t-elle pas *Bérénice* comme une source d'inspiration pour son court-métrage *Césarée* ? Las, le miracle Racine ne dépasse pourtant pas la couverture et c'est finalement du côté de Delly que Noguez se range après avoir lu cette histoire d'amour triangulaire. Pourquoi Delly ? Parce que son livre *Magali* « a joué un rôle capital dans ma jeunesse. C'était le plus beau/le seul que j'eusse lu… » a écrit un jour Marguerite Duras.

Pour Noguez, l'indice est à prendre en considération. Il repasse l'intrigue d'*Heures chaudes* à la moulinette durassienne. Mona, l'héroïne, serait Magali qui attise la passion de Pierre, pourtant fiancé à Lucienne Vadier. Dans la foulée, il continue à noircir la colonne des « pour » : Pierre est bien le prénom du frère de Marguerite, Lucienne Vadier a bien les mêmes initiales que Lol. V et le tout se passe bien à Sète comme certaines scènes du *Marin de Gibraltar*. Opiniâtre, il tient jusqu'à la fin, jusqu'à la dernière phrase du roman où l'auteur chute sur une tournure durassienne, un « *sans réaction aucune* » très littéraire qui ponctue le roman et ferme victorieusement la colonne des « pour ».

Dans la balance des « pour » et des « contre »

À ce stade, notre détective **devrait** donc sauter de joie et rendre la nouvelle publique : *Heures chaudes* a de fortes chances d'être un roman caché de Marguerite Duras. Mais la colonne des « contre » est là, rappelant à un lecteur qui se **serait** emballé que quelques indices, aussi troublants soient-ils, ne sont pas suffisants pour clore l'enquête. D'autant que la colonne des « contre » clignote à côté des « pour » comme une alarme à incendie. Il y a d'abord l'avalanche des clichés et des poncifs relevés dans le style, les références littéraires qui, passé Racine, ne mentionnent que des écrivains oubliables. Il y a enfin ce petit côté machiste qui plane sur l'œuvre avec un amant malheureux fustigeant « *la femme éternelle menteuse* ». Marguerite Duras misogyne primaire ? La chose est si difficile à croire qu'elle en devient décourageante.

L'affaire **aurait pu** s'arrêter là si Dominique Noguez n'avait pas décidé de jouer avec cette découverte. En 2007, il décide de faire une conférence lors des journées Duras à l'abbaye d'Ardenne, au siège de l'Imec (Institut pour la mémoire de l'édition contemporaine). Il affronte là un public de spécialistes, forcément alléchés par la perspective de découvrir un inédit de la grande romancière. Certains se souviennent de cette phrase lue dans le recueil *Outside* (Albin Michel) : « *Il y a aussi tous ces romans que nous avons faits pendant la guerre, une bande de jeunes, jamais retrouvés non plus, écrits pour acheter du beurre au marché noir, des cigarettes, du café.* » Alimentaire, mon cher Noguez ! chuchote le fantôme de Duras à l'oreille du détective qui en conclut pourtant devant l'auditoire dépité que M. **pourrait être** aussi bien Marcel, Maurice ou Marius. Mais quel que soit son prénom, ce ou cette Donnadieu-là a aujourd'hui rejoint Marguerite Duras à l'abbaye d'Ardenne. Admirateur trompé mais pas rancunier, Dominique Noguez a en effet versé les photocopies d'*Heures chaudes* à l'Imec.

Paru dans *Le Figaro*, le 14/02/2008.

Vous pouvez ainsi observer que si l'article raconte un fait vrai – la recherche de livres inédits écrits par M. Yourcenar –, il pose en même temps des questions sur les déclarations avancées par Dominique Noguez concernant l'identité de l'auteur du livre *Heures chaudes*, questions qui n'ont pas encore trouvé de réponse.

Sur le plan linguistique, cette opposition entre les deux parties de l'article est marquée par l'alternance des temps de l'indicatif, pour tout ce qui est l'information vérifiée, et du mode conditionnel pour tout ce qui est du domaine de l'hypothèse.

Regardons de plus près le troisième paragraphe (*Dans la balance des « pour » et des « contre »*) et dégageons les oppositions concernant le fait relaté à partir des modes verbaux utilisés par le journaliste :

Faits vérifiés	Hypothèses
Heures chaudes a de fortes chances d'être… (l. 80-81)	Devrait donc sauter et (devrait)… rendre la nouvelle publique… (l. 79-80)
La colonne des « contre » est là… (l. 82)	Le lecteur qui serait emballé… (l. 83)
Les quelques indices ne sont pas suffisants pour clore l'enquête. (l. 84-85)	L'affaire aurait pu s'arrêter… (l. 94)
Il y a d'abord… il y a enfin… (l. 86 et 89)	
Si D. Naguez n'avait pas décidé de… (l. 94)	M. pourrait être… (l. 108)
Il décide… (l. 96)	
Il affronte… (l. 98)	
D. Naguez a versé… (l. 112)	

Dans ce dernier texte, un autre genre d'article plus élaboré que les précédents vous est proposé : **l'interview**.

TEXTE 14

Marion Cotillard : « J'ai toujours eu de grands rêves »

INTERVIEW – Juste avant sa consécration, l'actrice française s'était confiée au *Figaro*.

Minuit, dans la nuit de vendredi à samedi. La cérémonie des Césars vient de s'achever sur le triomphe attendu de Marion Cotillard qui se repose dans une suite de l'hôtel Crillon, avant de repartir le matin même pour Los Angeles assister à la cérémonie des Oscars. Encore émue aux larmes d'avoir été couronnée par ses pairs, l'actrice, 32 ans, exquise de beauté et de sensibilité dans sa robe très Années-Folles, accepte de répondre à quelques questions. Et de revenir sur cette année exceptionnelle vécue à un rythme effréné pour la promotion de *La Môme* d'Olivier Dahan.

LE FIGARO. Alors, l'« effet césar » ?
Marion COTILLARD. Je suis hyperheureuse d'avoir cette récompense (éclats de rire entremêlés de sanglots). Vraiment.

Bien plus qu'après avoir reçu récemment le Golden Globe à Hollywood et le Bafta à Londres ?
Mais bien sûr ! Forcément. Ici, c'est mon pays, ma langue, mes rêves de cinéma, même si j'en ai plein d'autres, que j'ai la chance de réaliser ailleurs. Pendant tous ces mois, la France m'a manqué, comme un amour qu'on va retrouver.

Et l'oscar ?
Ce n'est pas la statuette qui est importante. L'essentiel, c'est toute l'aventure que je vis aux États-Unis, c'est la façon dont ils ont accueilli le film, et mon travail en particulier, et ce que je vais réaliser ici en tournant *Public Ennemies*, avec Johnny Depp puis *Nine*, avec Catherine Zeta Jones. Une nomination aux oscars, c'est déjà tellement inattendu quand on fait un film français !

L'article de presse

Vous avez remercié vos parents comédiens, qui vous ont donné le goût du jeu, Olivier Dahan, qui a changé votre existence en vous demandant d'incarner « toute une vie », et vos grands-mères aussi. Pourquoi elles?
Pour interpréter Piaf, je me suis beaucoup inspirée de Simone et de Léontine, qui va bientôt avoir 99 ans. Simone, ma grand-mère maternelle, adorait Piaf. Ce sont deux êtres avec lesquels j'ai passé plus de trente ans de ma vie et qui m'ont beaucoup inspirée pour le rôle.

Que vous reste-t-il aujourd'hui du personnage de Piaf?
Il me reste tout ce qu'elle m'a apporté! (Rires.) Et elle me donne encore tellement!

Vous avez déjà travaillé avec Tim Burton et Ridley Scott. Imaginiez-vous un jour faire carrière à Hollywood?
J'ai toujours eu des rêves que je n'ai pas forcément mesurés. Tant de choses m'arrivent grâce à Piaf. La première chose dont j'ai rêvé, c'était d'avoir de grands rôles, et celui-là, il est immense, ma première composition digne de ce nom. Il se trouve que les histoires, les personnages, les réalisateurs qui m'enthousiasment aujourd'hui sont américains.

Après la série à succès des *Taxi*, vous vouliez arrêter ce métier, pourquoi?
Je me sentais à l'étroit, alors que j'ai toujours eu de grands rêves. J'avais peut-être peur que cela ne se déroule pas comme je le désirais. Alors, du coup, je préférais aller dans une autre direction, plutôt que de vivre mon rêve en petit ou de le grignoter.

Pas trop la grosse tête après ce succès mondial de *La Môme*?
Je ne crois pas. L'important, c'est le travail. Le cœur de ce métier, c'est jouer et raconter des histoires. Ce qu'il y a autour, c'est beau, ça brille, ça fait vibrer, mais ce n'est pas l'essentiel.

Vous chantiez déjà en 2001 dans le film *Les Jolies Choses*. Vous aimez ça?
J'ai toujours aimé chanter. Une autre façon de s'exprimer qui me paraît très libératrice, puisqu'on peut chanter n'importe où, n'importe quand. Alors que si je me mettais à jouer partout, on m'enfermerait dans un hôpital psychiatrique! (Rires.)

Votre chanson préférée de Piaf?
J'adore *Padam*! (Et elle se met à fredonner: "Padam, Padam, Padam, il arrive en courant derrière moi, Padam, Padam, Padam, il me fait le coup du souviens-toi…" », NDLR). À l'origine, je n'aimais pas cette chanson parce que je n'avais jamais écouté ce qu'elle racontait. Quand j'ai été amenée à la découvrir, je l'ai trouvée sublime.

Avant le tournage de *La Môme* vous êtes allée en pèlerinage à Lisieux. Sainte Thérèse vous accompagne-t-elle toujours?
Sainte Thérèse fait vraiment partie de la vie de Piaf mais pas de la mienne. Avant chaque événement important, Piaf se rendait à Lisieux. J'avoue avoir eu un rapport très particulier avec sainte Thérèse. Je lui ai demandé de l'aide, et j'ai reçu du soutien. Mes croyances ne sont pas forcément religieuses.

Quelles sont-elles?
Je crois à des choses qui vous paraîtront très cliché. À l'amour, à l'amitié, à la vie, à la beauté de ce qui relie tout.

Paru dans *Le Figaro*, le 25/02/2008. © Interview par Emmanuelle Frois, *Le Figaro*, 2008.

L'interview se caractérise par une **rédaction hétérogène**. En effet, si, sur le plan de la titraille, elle reprend la même hiérarchie que celle que nous avons observée dans les articles présentés auparavant (titre, sous-titre, surtitre, etc.), l'interview apparaît sur le plan de la mise en texte comme la forme écrite d'un discours direct (questions-réponses), sauf pour ce qui concerne le paragraphe introductif qui, lui, présente généralement la personne interviewée.
L'interview se situe donc à mi-chemin entre l'article et le dialogue/la conversation.
Dans ce type d'article, les questions posées doivent être incisives et directes. Elles ne doivent pas être trop longues, ni utiliser un style trop familier. Chaque question doit porter ainsi sur un thème précis.

Il existe plusieurs types d'interview*:
- **informative:** lorsqu'il s'agit d'avoir des informations sur un fait auquel on n'a pas assisté;
- **de fond:** lorsqu'on donne la parole à un expert, à un spécialiste qui donne des éclaircissements sur une situation particulière;
- **portrait:** lorsqu'on part à la découverte de la personne interviewée, comme c'est le cas du document choisi;
- **micro-trottoir:** lorsqu'on interviewe des gens de la rue qui répondent sur des faits d'actualité.

Dans ce genre de texte, vous devez rester fidèle au propos du locuteur: évitez les commentaires et respectez les points de vue de la personne interviewée, même si vous n'êtes pas d'accord avec elle.

> Dans les exercices de réécriture, on peut vous demander de passer d'une interview à un article ou, au contraire, de passer d'un article à une interview.

S'ENTRAÎNER À L'ÉPREUVE

Combien de mots mon article doit-il comporter? En combien de temps dois-je traiter le sujet?

> C'est la consigne qui vous indiquera le type, et par conséquent, le nombre de mots ou de lignes de l'article que vous devrez composer.

Vous disposerez en général de 1 h à 2 h 30 pour rédiger ce travail.

Sur quels critères linguistiques va-t-on m'évaluer?

Voir tableau page 24.

À partir de quels éléments vais-je rédiger mon article?

Vous pouvez utiliser des chiffres, des dates, des pourcentages, des citations, etc. dans la rédaction d'un article de presse, mais, pour le faire, **vous devez avoir accès à des données réelles**.

On peut aussi vous demander de passer d'une activité de compréhension orale (émission de radio ou de télé) à une activité de production écrite (la rédaction d'un article pour un quotidien, un magazine, etc.); dans ce cas, vous aurez accès à des données authentiques. Un dossier de plusieurs articles sera joint au sujet et/ou à la consigne.

Quelle est la méthode à suivre pour répondre à un sujet d'écriture d'un article?

L'article de presse est un genre textuel diversifié. D'une manière générale, les contenus ainsi que la forme à adopter (texte bref ou long) et le « ton » vous seront précisés dans la consigne.
Il existe cependant quelques règles générales de rédaction qui vous aideront à sa production.
Plus précisément:
- Vous devez lire attentivement la consigne pour savoir:
  - quel est le fait, l'événement à partir duquel vous devez rédiger votre article;

---

* D'après J.-L. Martin-Lagardette (2003), *Le guide de l'écriture journalistique*, 5e édition, La Découverte.

L'article de presse

– quel type d'article vous devez rédiger ;
– éventuellement, le ton que vous devez adopter.

N'OUBLIEZ PAS !

Une fois choisi le « caractère » de votre texte, vous devez vous tenir à votre choix et ne pas passer d'un style à l'autre.

• Vous devez ensuite revenir aux questions de base afin de dégager l'information principale du texte, et choisir les éléments que vous voulez privilégier. Selon le fait que vous devez relater, choisissez bien l'élément sur lequel vous voulez mettre l'accent (si celui-ci n'est pas précisé dans la consigne) : autrement dit, l' (les) élément(s) sur le(s)quel(s) thématiser.

• Il sera également nécessaire de choisir l'angle d'attaque : votre texte doit-il uniquement informer ou aussi, par exemple, émettre des hypothèses sur l'événement dont il est question ? Ou encore : est-il question de le rendre plus compréhensible/lisible au lecteur ?

• Comme pour tout texte écrit, **veillez à sa cohésion et à sa cohérence** ! N'oubliez pas de présenter vos idées de manière logique, claire et accessible pour celui qui lira votre texte. Utilisez des mots de liaison qui favorisent l'articulation des idées, des paragraphes, des différentes parties de votre texte.

• Et, tout au long de votre travail, soyez attentif à la présentation de votre copie.

Activités

A À partir du texte 10 (p. 60), repérez les trois parties de l'article ci-dessus et justifiez votre découpage.

B À partir du texte 11 (p. 61) :

a. Supprimez les citations dans le corps de l'article et reformulez leur contenu en passant au discours rapporté.

b. Rédigez une brève (en respectant les règles d'écriture mentionnées à la page 55) après avoir retrouvé les éléments essentiels de l'information à l'aide d'un tableau (cf. textes 6-8, page 56).

C Dans le texte 12 (p. 62), repérez les anaphoriques qui renvoient à Me O. Brane et classez-les dans les différentes catégories d'anaphoriques.

D À partir de la brève ci-après qui relate un fait divers, écrivez un article en ajoutant la titraille et en précisant :
– pourquoi ?
– comment ?
– raisons ?
– conséquences ?
– hypothèses ?

Texte 15

Début d'incendie à Saint-Jean-de-Garguier.
Un début d'incendie s'est déclaré hier après-midi vers 16h10, à Saint-Jean-de-Garguier, petit bourg entre Aubagne et Gémenos. Aussitôt mobilisés en nombre, les pompiers d'Aubagne, Gémenos, Roquevaire, La Bedoule et
5 Auriol sont venus à bout du sinistre en une heure. 1500 à 2000 m² de colline ont été brûlés.

La Provence, 10 août 2007.

E À partir du texte 13 (p. 63), récrivez un article plus bref (économisez les contenus en supprimant les parties non informatives) en relatant uniquement les faits vérifiés.

F À partir de l'article et des témoignages suivants (micro-trottoir), écrivez un article détaillé sur le thème de la voyance.

Texte 16

VIVRE **MIEUX**

«La voyance, ça me rassure »

TENDANCE. 10 millions de Français consultent chaque année un voyant. Mais aujourd'hui, le public change : plus d'hommes, plus de chefs d'entreprise, plus de questions sur l'avenir professionnel. Reportage au salon Parapsy, qui a débuté hier à Paris.

LES VISITEURS ont beau être accueillis par les vibrations du gong d'un chaman entouré de fioles de toutes les couleurs, ils tendent leurs 8 € avec un sérieux inébranlable. Femmes entre deux âges, jeunes filles rougissantes venues entre copines, quelques messieurs en costume-cravate… En ce premier jour du salon Parapsy*, hier à Paris, la foule est encore clairsemée. « On attend dix mille personnes sur la semaine », rassure Martine Phélan, organisatrice depuis vingt-deux ans du grand Salon annuel des arts divinatoires. « C'est moins le délire que les premières années. Le public a changé… On a plus d'hommes, de chefs d'entreprise, d'étudiants soucieux de leur avenir. On ne vient plus pour se faire dire la bonne aventure avec légèreté, on vient plutôt demander si sa boîte va couler. »

Catherine, cadre dans une banque, a connu de sérieux revers financiers. Elle détaille les tarifs affichés à chaque stand. Pas question, comme l'an dernier, de débourser 60 € pour écouter des « trucs approximatifs ». Elle préfère faire le tour, marchander. « Pour une seule question, vous me faites la consultation à 30 ? »

« Ni mort ni maladie ! C'est une question de déontologie »

Entre la voyance dans les couteaux, la lecture du subconscient avec les cloches tibétaines et les bons vieux tarots de Marseille, les clients hésitent. « Les gogos, c'est fini », assure Gisèle, numérologue. « Ils questionnent, exigent des choses précises. On touche d'autres catégories professionnelles. Je viens de recevoir une gynécologue qui voulait connaître les bons jours pour déclencher des accouchements cette année ! »

Marie, 55 ans, artiste peintre très chic, est venue pour y voir plus clair dans sa vie. Son mari, plus âgé, est malade. Elle a cessé de peindre pour s'occuper de lui, n'en peut plus, a rencontré quelqu'un d'autre… On lui a recommandé Monsieur Olivier, un jeune homme émotif qui a quitté l'usine pour faire de la voyance dans… l'eau. « Pour moi, c'est limpide », affirme-t-il sans rire. Il fait verser de l'eau dans un verre à Marie et commence à la mitrailler de phrases. « Vous avez un choix sentimental à faire. Quelqu'un avec qui vous êtes depuis longtemps, il est malade, inguérissable. Il y a des enjeux financiers. Une personne se met entre vous. Vous êtes une balle de ping-pong. Mais ça va se débloquer. » Marie est ahurie, conquise.

Elle poursuit sa tournée « pour vérifier », « pour (me) rassurer ». Mama Bernadette, qui lit l'avenir dans les coquillages africains à 20 € la question, est perplexe. « C'est quoi votre question au juste ? » Elle voit quand même un « homme couché qu'il faut beaucoup soigner ». Angelina, médium de renom sur Wengo.fr, achève de la convaincre. « Vous avez été beaucoup brimée par rapport à vos possibilités, mais ça se décante, et vous allez de nouveau pouvoir créer. » Marie tente : « Et mon mari, sa santé ? » Angelina secoue la tête. « Ni mort, ni maladie, ni magie ! C'est une question de déontologie. »

Pour ceux qui n'ont pas les moyens de débourser entre 50 et 75 € pour passer derrière les paravents, il y a des voyances gratuites, sur un podium. Devant tout le monde. L'envie est tellement forte d'avoir une réponse à leurs questions que les gens en oublient les cinquante personnes autour d'eux. « Votre compagnon reviendra vers vous, mais ce sera éphémère, je le vois avec quelqu'un d'autre », assène le voyant à une sexagénaire mortifiée. Tout le monde la regarde, mais elle ne voit personne. Elle est comme soulagée : « Je m'en doutais… »

© Florence Deguen, *Le Parisien*, le 10/02/2008.

** Ouvert jusqu'au 24 février, de 10 h 30 à 20 heures à l'espace Champerret, Paris XVIIe. 8 €. Rens. au 08 92 23 35 35*

VOIX EXPRESS / Et vous, croyez-vous aux arts divinatoires ?

Isabelle Begel
40 ANS
INFORMATICIENNE
TOURS (37)

« **Non,** même si la tradition familiale veut qu'à chaque début d'année, ma mère nous tire les cartes ! Il y a longtemps, elle m'avait prédit que je rencontrerais quelqu'un dans l'année. Ça ne s'est pas produit ! La voyance en général, je suis contre. C'est une façon de profiter de la crédulité des gens, de les pousser à n'importe quel excès, parfois en les faisant payer très cher. »

Claudette Mohamedi
63 ANS
RETRAITÉE
PARIS XXe

« Évidemment ! Il y a trente ans, je suis allée voir une voyante à Alger. C'était une pratique courante. Elle m'a dit que mon mari me quitterait à 50 ans. Et c'est arrivé, c'est dire si j'y crois ! Après quarante-trois ans de mariage, alors que nous avions quatre enfants et des petits-enfants, il a ramené une autre femme à la maison. Je ne consulte aujourd'hui plus les voyants. »

Matthieu Drache
20 ANS
APPRENTI
REIMS (51)

« Non, à mon âge je n'ai pas envie de connaître mon avenir et d'être influencé dans ma façon de vivre. Je veux rester libre de décider de tout. Je ne suis jamais allé chez un voyant. Peut-être qu'en vieillissant je changerai d'avis. Et ces consultations doivent coûter cher, notamment pour les accros qui ont besoin régulièrement de se faire tirer les cartes pour se rassurer. »

Fanny Kerever
28 ANS
ASSISTANTE DE DIRECTION
PARIS IXe

« Oui, j'y crois toujours un peu. Je ne peux pas m'empêcher de me précipiter sur mon horoscope dans le journal. Mais je crois que si certaines choses doivent vous arriver, elles vous arrivent. Une amie s'est mariée avec un homme plus âgé comme le lui avait dit une voyante. Elle s'est ensuite séparée de celui qui lui était annoncé comme l'homme de sa vie. »

Nathalie Vaïsse
25 ANS
ÉTUDIANTE
LA SEYNE/MER (83)

« Un peu… La belle-sœur de mon frère est voyante. Il y a six ans, alors que je la connaissais peu et que je n'allais pas très bien, elle m'a proposé d'en parler. Sa prédiction : que j'allais faire du mal à certaines personnes. Je n'y ai pas prêté attention. Mais, ce qu'elle m'a dit est arrivé. Peut-être parce ce qu'elle me l'avait annoncé. C'est une forme de manipulation. Maintenant, j'évite de la voir. »

Propos recueillis par Daniel Pestel

Le Parisien, 17 février 2008.

G À partir du texte 14 (p. 65), transformez l'interview de Marion Cotillard en article pour la rubrique « Cinéma » d'un magazine.

H L'article ci-dessous (texte 17) est un portrait de l'écrivain A. Gavalda. Réécrivez-le sous forme d'interview.

TEXTE 17

Comment Anna Gavalda a préparé son retour

Le nouveau livre de la romancière préférée des Français ne sortira en librairie que le 11 mars. Mais on sait déjà beaucoup de choses sur *La Consolante* qui sera, sans aucun doute, l'une des meilleures ventes de l'année.

En une poignée de nouvelles et deux romans, Anna Gavalda s'est bien imposée comme la petite chérie des lecteurs français. À deux semaines de la sortie de *La Consolante*, alors que le mystère a longtemps plané sur ce nouveau roman tenu au secret par son auteur, les esprits s'échauffent sur le phénomène Gavalda. Les libraires se préparent à trouver de la place pour accueillir les piles de son livre, les lecteurs piaffent d'impatience et, dans les bureaux des Éditions du Dilettante, l'équipe enchaîne les nuits blanches.

Déroutante Anna Gavalda qui chérit ses libraires et bouscule les journalistes. On pourra sans mentir dire que le lancement de *La Consolante* est un modèle du genre Gavalda, mélange de franchise qui prend à rebrousse-poil et de naïveté qui fait tout pardonner. Dans une lettre envoyée aux journalistes en janvier dernier, l'auteur de *Ensemble c'est tout* explique qu'elle ne donnera pas d'interviews sauf par e-mail pour répondre aux questions portant exclusivement sur son nouveau livre. Dans le même temps, son éditeur annonce les chiffres d'un tirage qui donne le vertige. D'abord 100 000 exemplaires, puis 200 000 pour terminer finalement à 300 000 exemplaires sous la pression des libraires emballés qui prennent commande avant même d'avoir lu une ligne de *La Consolante*.

Il faut dire en effet que l'auteur sait personnellement chouchouter ses troupes, à commencer par ses lecteurs et par les libraires, auxquels elle accorde une attention toute particulière, car ils ont été ses premiers prescripteurs. À L'Astrée, librairie très sympathique du XVIIe arrondissement de Paris, Michèle et Alain Lemoine ne tarissent pas d'éloges sur « Anna » qui, à chaque sortie de livre, les a honorés d'une séance de signatures. « Elle correspond à ce qu'elle écrit : sincère, fidèle et généreuse », soulignent les deux libraires.

Et le couple de sortir le premier petit mot qu'ils avaient reçu de l'auteur. Il remonte à l'année 1999. Elle l'avait glissé sous la porte fermée, un soir d'été, juste avant que le succès ne la rattrape avec son recueil de nouvelles *J'aimerais que quelqu'un m'attende quelque part*. « Je me casse le nez sur votre vitrine. Ce n'est pas grave. Je reviendrai ! » peut-on y lire. Promesse tenue. Elle est revenue.

Paru dans *Le Figaro*, le 27/02/2008.

Chapitre 6
La critique

La critique, qu'est-ce que c'est ?

Les **critiques** sont des textes que l'on retrouve dans tous types de journaux : quotidiens, hebdomadaires, mensuels, etc. Les critiques peuvent porter sur différents « objets », par exemple : des films, des livres, des DVD, des expositions, des concerts, des CD, etc. Cependant, comme vous pourrez le constater, les critiques de films sont de loin les plus nombreuses.
Les fonctions principales des critiques sont d'**informer** et de **donner un avis**.
Ainsi, celui qui rédige une critique peut choisir de décrire, mais également de **porter des jugements** de valeurs, des appréciations plus ou moins marquées, plus ou moins subjectives sur l'« objet » dont il parle. Ces fonctions se réalisent en utilisant différents procédés pour, dans le cas d'un film par exemple, raconter l'histoire, présenter les personnages, comparer ce film avec un autre du même genre ou du même réalisateur, et ainsi de suite.
Les critiques peuvent, par ailleurs, mettre l'accent sur plusieurs éléments – toujours pour un film : sur l'histoire, sur le metteur en scène, sur les acteurs, etc. – et peuvent prendre en compte un seul de ces éléments ou tous ces éléments à la fois.
Il faut, enfin, souligner que, pour illustrer leurs critiques, la plupart des journaux/magazines font appel à des **symboles iconiques** variés (☆, ☺, ♥, □, etc.), ce qui donne au lecteur un premier avis d'ensemble sur l'objet présenté : ces symboles iconiques dirigent d'emblée la lecture, donc le choix de la personne qui lit.

Quels éléments linguistiques caractérisent la critique ?

Pour rédiger une critique, il est important de maîtriser les éléments linguistiques les plus fréquents et les plus utilisés en français pour réaliser par écrit les fonctions d'informer/de conseiller/de convaincre d'acheter (tel ou tel CD, livre, DVD, etc.), d'aller ou de ne pas aller voir (tel ou tel film, telle ou telle exposition), de lire ou de ne pas lire (tel ou tel livre), etc.

Les éléments linguistiques les plus fréquents sont :

- le présent indicatif comme temps de base de la description et de l'évaluation ;
- l'emploi du pronom « vous » s'adressant au(x) lecteur(s) ;
- l'emploi du pronom « on » tantôt à valeur inclusive (je = celui qui écrit + vous = les lecteurs), tantôt à valeur indéfinie (on = les gens) ;
- le pronom « nous » (je = celui qui écrit + vous = les lecteurs) ;
- l'énumération d'adjectifs/substantifs, souvent des listes d'adjectifs/substantifs juxtaposés, donnant lieu à des phrases saccadées avec parfois omission du verbe conjugué ;

- la comparaison : l'objet dont on parle est rapproché d'un objet de la même catégorie. On évalue un livre/un CD/une exposition, etc. en les comparant à d'autres livres/CD/expositions, etc., du même auteur/artiste, à d'autres livres/CD/expositions, etc. appartenant au même genre, et ainsi de suite ;
- l'opposition de termes positifs/termes négatifs ;
- l'emploi du passé pour les renvois à la carrière, à la vie des auteurs, réalisateurs, artistes dont il est question ;
- l'emploi fréquent de l'adverbe d'intensité « très » pour marquer le superlatif absolu, etc.

Concernant la structure des phrases :

- l'objet dont on parle est placé dans la majorité des cas dans la position de sujet grammatical ;
- l'emploi fréquent de phrases interrogatives directes suivies parfois, mais pas toujours, d'une réponse du scripteur ;
- l'emploi de phrases exclamatives ;
- l'emploi de structures impersonnelles : *il faut, il est vrai, il est intéressant,* etc. ;
- l'emploi des conjonctions et des prépositions de concession *même si* (plus l'indicatif), *bien que...* (plus le subjonctif), *... mais..., malgré,* etc.

Ainsi, dans les huit extraits choisis, vous pouvez observer ces différents procédés.

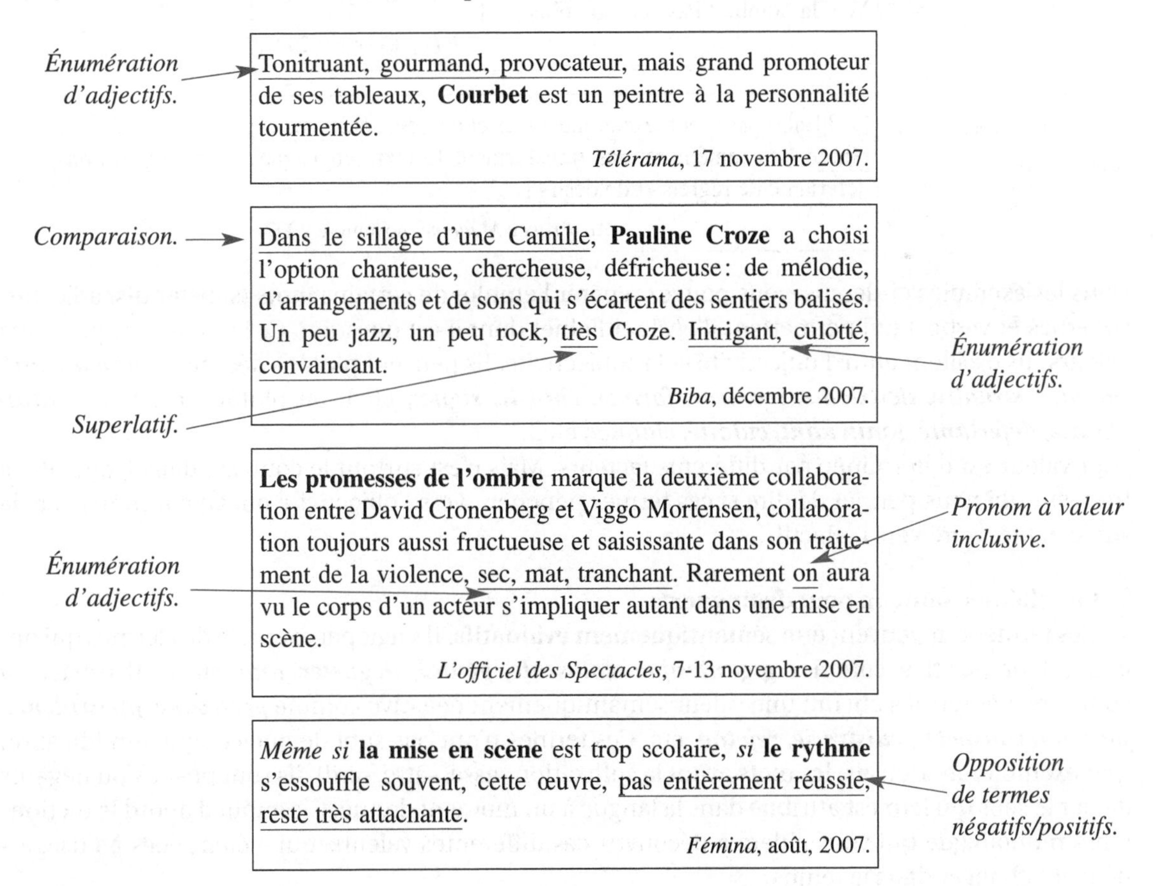

Énumération d'adjectifs.
Tonitruant, gourmand, provocateur, mais grand promoteur de ses tableaux, **Courbet** est un peintre à la personnalité tourmentée.
Télérama, 17 novembre 2007.
Comparaison.
Dans le sillage d'une Camille, **Pauline Croze** a choisi l'option chanteuse, chercheuse, défricheuse : de mélodie, d'arrangements et de sons qui s'écartent des sentiers balisés. Un peu jazz, un peu rock, très Croze. Intrigant, culotté, convaincant.
Biba, décembre 2007.
Énumération d'adjectifs.
Superlatif.
Les promesses de l'ombre marque la deuxième collaboration entre David Cronenberg et Viggo Mortensen, collaboration toujours aussi fructueuse et saisissante dans son traitement de la violence, sec, mat, tranchant. Rarement on aura vu le corps d'un acteur s'impliquer autant dans une mise en scène.
L'officiel des Spectacles, 7-13 novembre 2007.
Énumération d'adjectifs.
Pronom à valeur inclusive.
Même si **la mise en scène** est trop scolaire, *si* **le rythme** s'essouffle souvent, cette œuvre, pas entièrement réussie, reste très attachante.
Fémina, août, 2007.
Opposition de termes négatifs/positifs.

La critique

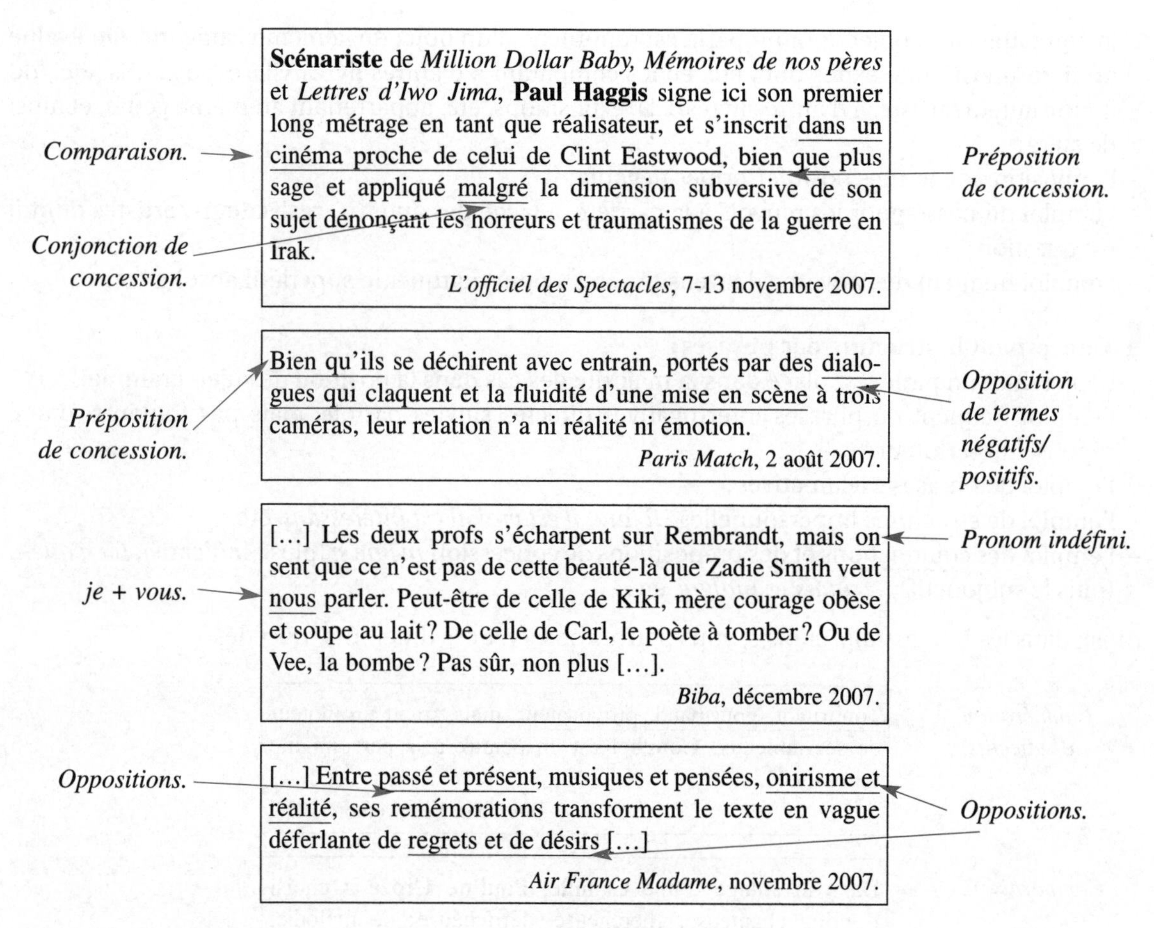

Scénariste de Million Dollar Baby, Mémoires de nos pères et Lettres d'Iwo Jima, Paul Haggis signe ici son premier long métrage en tant que réalisateur, et s'inscrit dans un cinéma proche de celui de Clint Eastwood, bien que plus sage et appliqué malgré la dimension subversive de son sujet dénonçant les horreurs et traumatismes de la guerre en Irak.
L'officiel des Spectacles, 7-13 novembre 2007.
Comparaison.
Conjonction de concession.
Préposition de concession.
Bien qu'ils se déchirent avec entrain, portés par des dialogues qui claquent et la fluidité d'une mise en scène à trois caméras, leur relation n'a ni réalité ni émotion.
Paris Match, 2 août 2007.
Préposition de concession.
Opposition de termes négatifs/ positifs.
[…] Les deux profs s'écharpent sur Rembrandt, mais on sent que ce n'est pas de cette beauté-là que Zadie Smith veut nous parler. Peut-être de celle de Kiki, mère courage obèse et soupe au lait ? De celle de Carl, le poète à tomber ? Ou de Vee, la bombe ? Pas sûr, non plus […].
Biba, décembre 2007.
je + vous.
Pronom indéfini.
[…] Entre passé et présent, musiques et pensées, onirisme et réalité, ses remémorations transforment le texte en vague déferlante de regrets et de désirs […]
Air France Madame, novembre 2007.
Oppositions.
Oppositions.

Dans les exemples ci-dessus, vous pouvez repérer l'emploi de certains mots (substantifs, adjectifs, adverbes et verbes) qui permettent d'évaluer l'objet dont il est question. Ces termes ont plusieurs valeurs ; ils oscillent entre l'objectivité et la subjectivité. Ils peuvent plutôt « décrire » (***convaincant, premier, scolaire, deuxième, sec, transformer, choisir, signer,*** etc.), ou plutôt « évaluer » (***attachante, déferlante, tonitruant, culotté, claquer,*** etc.).
Leur valeur est déterminée par différents facteurs. Mais c'est surtout le contexte dans lequel ils se trouvent qui nous permet de dire si ces termes penchent vers l'objectivité ou, au contraire, vers la subjectivité, voire vers l'affectif.

En schématisant, on peut distinguer*:

1. des termes qui peuvent être **sémantiquement évaluatifs**. Il s'agit par exemple des termes qui ont une valeur positive comme : ***gigantesque, colossale, génial, déguster, audacieux***. Il existe, au contraire, des termes qui ont une valeur sémantiquement négative comme ***grotesque, pleurnicher, jacasser, rouspéter, cuistrerie, rejeton***, etc. Ces termes n'ont pas subi de quelconque modification (par exemple, en français, les mots ayant la suffixation -asse, -âtre, -ard), ils sont positifs ou négatifs de par le sens qui leur est attribué dans la langue à un moment donné. C'est tout d'abord le dictionnaire monolingue qui vous aidera à découvrir ces différentes valeurs, qui – étant liées à l'usage – peuvent changer dans le temps ;

* D'après S. Moirand, *Une grammaire des textes et des dialogues*, Hachette, 1990.

2. des termes qui prennent – contrairement à la première catégorie – une **valeur positive ou négative en fonction du contexte** dans lequel ils apparaissent.
Par exemple, l'adjectif « remarquable » peut être à la fois *descriptif* et *évaluatif* (à valeur positive) selon le contexte dans lequel il est utilisé. Dans la phrase : « *C'est le film le plus* ***remarquable*** *de cette saison* », cet adjectif se veut plutôt informatif/descriptif, il est en effet utilisé dans une comparaison. Le journaliste compare ce film aux autres films sortis la même saison, ce procédé lui permet ainsi de se situer vers l'« objectivité ».
De même, dans la phrase : « *L'auteur* ***se prélasse*** *dans les idées reçues* », le verbe « se prélasser » prend dans ce contexte précis une valeur plutôt négative, dans la mesure où il se combine avec « avoir des idées reçues » qui a généralement une connotation négative.

Nous pouvons visualiser ces différentes catégories avec le schéma ci-dessous. Ainsi, si nous décrivons une cathédrale, les termes utilisés peuvent se situer sur un continuum qui va du plus *objectif* au plus *subjectif* :
gothique (style) → vaste (par rapport aux autres cathédrales) → **réussie** (par rapport aux autres cathédrales) → **prouesse technique** (par rapport aux autres cathédrales… par rapport à notre propre vision du monde… par rapport à notre réaction vis-à-vis de cet édifice…) → **incroyable** (par rapport aux autres cathédrales… par rapport à notre propre vision du monde ou par rapport à notre réaction vis-à-vis de cet édifice…) → …

RÉDIGER UNE CRITIQUE OU UN TEXTE ÉVALUATIF

Rédiger une critique ou un texte évaluatif demande de prendre position par rapport à l'objet évalué. Il faut ensuite décider sur quels éléments vous voulez mettre l'accent : sur l'histoire ? les personnages ? la performance des acteurs ? le metteur en scène ? les autres sorties de la semaine ?, etc.

S'ENTRAÎNER À L'ÉPREUVE

Combien de mots dois-je écrire ? En combien de temps dois-je traiter le sujet ?

Les critiques sont des textes d'une longueur très variable. Elles peuvent aller de quelques lignes à plusieurs pages.
En règle générale, les critiques positives sont assez longues ; elles occupent parfois plusieurs pages et peuvent être agrémentées de textes complémentaires comme des interviews ou des photos. En revanche, les critiques négatives sont plus brèves.
C'est la consigne qui vous indiquera le nombre de mots que vous devez respecter.

Sur quels critères linguistiques va-t-on m'évaluer ?

Voir tableau page 24.

Quelle est la méthode à suivre pour répondre à un sujet d'écriture évaluative ?

Comme vous l'avez vu, la critique est un genre textuel qui vous laisse assez libre dans le choix de la forme et des contenus à aborder. Il existe cependant quelques règles générales de rédaction qui vous aideront à sa production :

La critique

- Vous devez tout d'abord **lire soigneusement la consigne** pour savoir quel type d'évaluation vous est demandé et quel est l'objet sur lequel vous devez produire votre critique.
- Vous devez ensuite revenir aux fonctions principales du genre « critique » et choisir les éléments que vous voulez privilégier pour critiquer de manière positive ou négative. Autrement dit, vous devez **choisir quel est l'élément sur lequel mettre l'accent** (l'histoire ? l'écrivain/le metteur en scène/le chanteur ? les acteurs/les personnages ?) si celui-ci n'est pas précisé dans la consigne ;
- Il sera également nécessaire de **choisir si et comment l'auteur de la critique** (c'est-à-dire vous !) **va apparaître** de manière explicite dans son texte. Selon votre choix (ou selon ce qui vous est demandé dans la consigne), vous pourrez soit utiliser des formes directes (*vous, nous, on*) et personnelles (emploi des termes à valeur subjective), soit employer des procédés impersonnels (*il est* + adjectif, la nominalisation, termes plus objectifs, etc.).

Activités

A Les deux critiques ci-dessous – la première concerne un livre, la seconde un film – sont deux exemples de styles différents : la première plus objective, la seconde plus subjective.

Dégagez les éléments linguistiques qui vous permettent d'arriver à cette conclusion.

TEXTE 1

Sauvages de Mélanie Wallace

« Sauvages », oui, mais aussi possédées par l'esprit de l'Histoire, tels sont les personnages dont Mélanie Wallace nous invite à suivre la trajectoire. Un premier roman inspiré et inspirant.

Il faut se les représenter, ces soldats et ces chevaux, abandonnés au lendemain de la guerre de Sécession dans cet avant-poste fantôme que nulle armée ne vient relever de sa mission désormais inexistante. Les 5 vivres s'épuisent, les hommes désertent, le soleil du désert américain les grille à petit feu. Hors du temps et des réalités, le major Cutter divague et, las de diriger ses troupes, écrit des lettres magnifiques à son épouse adorée, la belle Lavinia, qui jamais ne lui répond. Bientôt font leur entrée sur la scène de théâtre d'ombres deux femmes rescapées d'une ultime bataille. Prisonnières des Indiens pendant quatre ans, elles reviennent du pays des morts. L'une, Abigail Buwell, y a apparemment laissé sa tête. Mais la tra- 10 hison est partout sauf où on croyait la trouver. À travers les visions hallucinées et les souvenirs fragmentaires de la jeune rebelle s'écrit une histoire terrible et magnifique. Déshumanisée par son expérience de fillette abandonnée, abusée par tous, témoin et victime de scènes innommables, c'est chez les Indiens (les sauvages !) qu'elle a rencontré la paix de la nature, l'amour des chevaux et d'un homme, le bonheur d'être femme. Elle rejette violemment la civilisation, et, bientôt, c'est la société qui ne voudra plus 15 d'elle. On lit le livre de Mélanie Wallace comme on ferait un rêve. Pas question d'en sortir avant son aboutissement, si surnaturel et déstabilisant soit-il.

Elle, 6 août 2007.

TEXTE 2

Rat d'égout, mais roi du goût

Ratatouille, de Brad Bird

Certains voient le jour dotés d'un coup de crayon infaillible, d'autres pourvus de l'oreille absolue, certains encore, équipés d'un « nez » très au parfum. Rémy, lui, est un surmulot surdoué pour analyser les saveurs et les marier avec raffinement. Autant dire que ce rat gourmet ne goûte guère le rata d'ordures dont se rassasient ses congénères. Alors, le jour où ce rongeur fait irruption dans la cuisine d'un grand
5 restaurant, il sait qu'il a enfin trouvé sa place dans ce bas monde. Toutes les victuailles sont autant de notes dont il veut faire des symphonies. C'est décidé, il sera chef d'un orchestre gastronomique. Mais un rat dans un 3-étoiles, c'est pire qu'un cheveu dans la soupe, qu'un cafard dans le caviar ! Alors, il se dissimule dans la toque d'un jeune gâte-sauce dont il devient l'ami. Le rongeur trouve un moyen tiré par les cheveux de guider les mains malhabiles du marmiton. Leur association fait recettes, mais bien
10 des dangers guettent, dont un patron teigneux, un critique dédaigneux, des services d'hygiène pointilleux... Certains esprits taquins trouveront sans doute un parallèle entre le rapprochement Pixar-Disney et le tandem vedette du film, mais le plat du jour que nous proposent ces studios est de ceux que l'on savoure, la serviette coincée dans le col et un sourire béat aux lèvres. Ce film d'animation en 3D et cinq sens ouvre à la fois l'esprit et l'appétit. Nappés d'une sauce contenant tous les ingrédients du film
15 d'aventure – poursuites, périls divers et avariés, coups de théâtre et coups de feu en cuisine –, servie à un rythme effréné, cette « Ratatouille » cinématographique est présente dans un plat au décor magnifique, un Paris appétissant comme une tarte. Pas un Paris de carte postale, mais de carte de restaurant. Irréprochablement réalisé et scénarisé, ce film d'animation risque bien d'animer certaines vocations chez les jeunes spectateurs qui, désormais, vont à coup sûr applaudir les toques stars autant que les
20 rocks stars.

Paris Match, 2 août 2007.

B a. Classez les critiques de films ci-dessous selon l'évaluation qui leur est attribuée (de la meilleure à la moins bonne).

b. Soulignez les éléments linguistiques qui vous permettent d'arriver à ce classement.

TEXTE 3

Voleur de chevaux

film franco-belge de Micha Vlad

Vers 1810, un jeune Cosaque quitte son régiment pour retrouver les deux frères qui ont tué son cadet et volé leurs chevaux. Une histoire d'honneur et de vengeance, filmée dans de beaux paysages, avec un minimum de dialogues et quelques maladresses. L'auteur reste loin de ses modèles (Ridley Scott ou Kurosawa), mais tente d'imposer un univers et affirme des ambitions.

Le Monde, 14 novembre 2007.

La critique

TEXTE 4

Once

Il y a rarement de semaines si riches en bons nouveaux films. Pourtant, le choix de mettre en coup de cœur cette romance irlandaise tournée en deux semaines et demie, qui a l'air d'avoir été bricolée entre copains dans le fond d'un garage avec trois bouts de ficelle, une guitare trouée, un studio et deux voix incroyablement émouvantes, s'est imposé en force. Cette petite production cinématographique inattendue a déjà séduit les États-Unis où le film bat des records d'entrées et de ventes des disques, cinq mois encore après sa sortie. Parce qu'une chose est sûre : quand on sort de la salle, il continue de nous chanter dans la tête longtemps après et on ne pense qu'à écouter le disque avec ces voix qui nous enveloppent. C'est un vrai bijou de film musical, où la mélodie et les paroles des chansons soutiennent l'intrigue qui est en train de se nouer sous nos yeux. Tout est absolument délicieux et délicat. Pourtant, sur le papier, cela peut sonner faux : une love story entre une jeune fille tchèque qui vend des roses pour survivre et un jeune homme à la barbe rousse, réparateur d'aspirateurs le jour et chanteur de rues à ses heures perdues, avec sa guitare et son chagrin d'amour en bandoulière. Chacun va guérir les blessures intimes de l'autre et ils n'ont même pas besoin d'avoir un nom pour qu'on se souvienne de leur rencontre. Une très jolie ballade romantique sans une seule fausse note !

Elle, 12 novembre 2007.

TEXTE 5

Evan tout-puissant

Après Jim Carrey, c'est au tour de l'acteur Steve Carell d'être tout-puissant. Malheureusement, le résultat est plutôt « Evan tout-barbant » ! Dès les premières minutes, on sent que la machine à rire ne va jamais démarrer. Même Steve Carell, en politicien chargé par Dieu de construire une arche de Noé, d'habitude si talentueux, ne parvient pas à nous faire décrocher un sourire. La lourdeur du scénario, aux ralentis puritains et religieux, ne laisse aucune chance au film de proposer des situations comiques d'anthologie attendues dans ce type de comédie. Avec cette arche-là, c'est l'apocalypse.

Fémina, 12 août 2007.

TEXTE 6

D'un enfer à l'autre

Les promesses de l'ombre offre une plongée dans la mafia russe, au cœur d'un Londres multiethnique. Cette immersion, le spectateur la vit à travers les yeux d'Anna (Naomi Watts), une sage-femme bouleversée par la mort d'une jeune fille qu'elle a aidée à accoucher. Décidée à retrouver la famille du bébé à l'aide d'un journal intime écrit en russe. Anna rencontre Semyon (Armin Mueller-Stahl). Ce propriétaire d'un paisible restaurant sibérien n'est d'autre qu'un mafieux à la tête d'un réseau de prostitution et faisant partie de la société secrète des Vori v'zakone. Autour de lui gravitent son fils Kirill (Vincent Cassel), un alcoolique en quête d'amour paternel, et Nikolaï, un chauffeur mystérieux (Viggo Mortensen). Anna va ainsi mettre sa vie et celle de sa famille en péril.

Après le succès autant critique que public de *A History of Violence*, David Cronenberg livre avec *Les promesses de l'ombre* un thriller plus conventionnel. Mais ces deux longs métrages ont des points en commun. Le réalisateurs canadien scrute à nouveau la crise de la structure familiale. David Cronenberg retrouve Viggo Mortensen, qui, dans le rôle d'un homme opaque, offre une présence corporelle impressionnante. Ensemble, le cinéaste et l'acteur continuent d'explorer un monde contaminé par la violence. Comme dans cette étonnante scène de sauna, dans laquelle Mortensen, nu, à la fois vulnérable et sauvage, doit résister à deux assaillants armés.

Par ailleurs, on retrouve dans ce film l'éternelle obsession du réalisateur de *La mouche* ou de *Crash* pour les transformations corporelles. Le cinéaste est ici fasciné par les tatouages des Vori v'zakone, un rituel servant à montrer leurs faits d'armes et de leur grade. Si ce long métrage sonne ainsi comme du pur Cronenberg, il laisse entendre un optimisme rare chez le cinéaste, en s'achevant sur une note lumineuse. Même l'ombre a ses promesses.

Directsoir, 6 novembre 2007.

TEXTE 7

La vie intérieure de Martin Frost Film américano-portugais de Paul Auster

Dans une maison de campagne, un écrivain new-yorkais rencontre une jeune femme qui se révèle être sa muse. Les lecteurs d'Auster retrouveront la trace fictive de ce film dans le *Livre des illusions.* Ici Auster se prélasse dans les clichés avec une naïveté et un nombrilisme gênants.

Le Monde, 14 novembre 2007.

TEXTE 8

La chambre des morts d'Alfred Lot

Bien que le genre du thriller ne soit pas une spécialité française, de courageux volontaires s'y collent régulièrement. On accordera à ce « Silence des agneaux » frenchie au moins un point pour la témérité de la tentative. Puis on goûtera soigneusement tous les ingrédients d'une recette qui a déjà fait ses preuves : les crimes de maniaque avec souffrance infligée à des victimes particulièrement attachantes et vulnérables ; les flash-back à la frontière du fantastique et d'une esthétique un brin énervant ; une « profileuse » fascinée par les serials killers et douée d'une intuition trop inquiétante pour ne pas être explicable par un sale traumatisme d'enfance ; la tension qui monte, qui monte… O.K., on l'avoue, on a eu très peur !

Elle, 14 novembre 2007.

La critique

C Vous trouverez ci-dessous une critique négative d'une pièce théâtrale. En vous référant aux critiques analysées plus haut et aux moyens linguistiques utilisés (voir textes de 1 à 8) rédigez une critique positive de cette pièce.

TEXTE 9

La cuistrerie d'un petit maître

Un chapeau de paille d'Italie, une pièce d'Eugène Labiche et Marc-Michel

Qu'est-il allé faire dans cette galère? C'est la question que l'on aimerait adresser à l'un des plus brillants des sociétaires de la Comédie-Française, Denis Podalydès, qui, interprétant Fadinard, le héros d'*Un Chapeau de paille d'Italie,* accepte de se plier aux sottes décisions d'un metteur en scène qui ne craint pas de suspendre la citation d'un ouvrage de Gilles Deleuze au-dessus de son travail, de se référer au grand Flaubert, au caustique Léon Bloy, bref, de faire étalage de son petit outillage de dramaturge pour nous infliger un désastreux spectacle. Rien ne devrait pourtant nous étonner, puisque Jean-Baptiste Sastre est coutumier du fait. Lorsqu'il tente de nous rendre sensible *Temerlan le Grand de Marlowe* et qu'il nous enfume, littéralement, on se dit qu'au moins il s'est intéressé à une pièce très peu jouée. Mais, lorsqu'il déballe son mieux-disant culturel à propos d'un ouvrage très souvent joué et dont la construction impeccable n'appelle qu'un malicieux respect, il montre sa cuistrerie de petit maître avec un aplomb désolant. Il fait plus, cet esprit fort: il dévoile le dénouement dès les premières minutes. C'est-à-dire que, lorsqu'il démolit d'entrée de jeu *Un chapeau de paille d'Italie,* il est l'un de ces pervers qui vous racontent la fin du film ou d'un roman à suspens… Il proclame ainsi qu'il n'a rien à faire de la pièce!

La débauche inutile des décors dispendieux, les grimages et postiches grotesques, le lent mouvement d'une noce qui se perd dans l'espace immense de la grande salle de Chaillot qu'il dénude entièrement en encombre d'un fatras aussi pesant que sa pédanterie, tout est consternant, ennuyeux, plombé. Jusqu'au jeu des acteurs qui s'égosillent en vain et dont on préfère oublier qu'ils se sont fourvoyés. Quant aux producteurs qui s'entêtent à faire confiance à Jean-Baptiste Sastre, on préfère aussi les oublier, mais on ne leur pardonne pas.

Paru dans *Le Figaro*, le 19/11/2007.

D Écrivez une critique négative sur un film ou un roman que vous avez vu ou lu et que vous n'avez pas aimé (± 300 mots).

E Rédigez une critique positive sur une exposition que vous avez vue récemment et que vous avez beaucoup aimée (± 500 mots).

Chapitre 7
L'éditorial

L'ÉDITORIAL, QU'EST-CE QUE C'EST ?

De par ses caractéristiques formelles et fonctionnelles, l'**éditorial** est un genre textuel hybride. Plus précisément, il se situe entre le commentaire et l'argumentation.

Il s'agit plus particulièrement de la mise en texte d'une opinion personnelle au nom d'un groupe de personnes (dans ce cas précis, l'ensemble de la rédaction d'un journal). Sa fonction principale est donc **d'exprimer une opinion** à la fois personnelle (celle de l'éditorialiste) et générale (celle du journal), afin de **sensibiliser** le lecteur à un événement particulier, et d'**argumenter** en faveur de cette position.

On trouve des éditoriaux dans les quotidiens et dans les magazines. On remarquera que, dans certains magazines, l'éditorial est utilisé essentiellement pour présenter les contenus du journal. Dans ce cas particulier, il ne s'agit pas d'un éditorial à proprement parler, mais plutôt d'un texte qui s'apparente au sommaire.

Au niveau des contenus abordés, puisqu'il s'engage dans la défense d'une idée ou d'une opinion, l'éditorial évoque un seul sujet à la fois. L'éditorialiste choisira ainsi parmi les événements de la journée (de la semaine, du mois), l'événement qu'il considère le plus important, celui qui marquera le plus le lecteur.

Pour ce qui concerne **la signature**, vous observerez que dans la majorité des cas, c'est l'éditorialiste qui signe le texte, et que la signature est souvent accompagnée de son portrait.

L'éditorialiste est ainsi le porte-parole du journal pour lequel il écrit, il prend en charge les opinions de celui-ci. Par ailleurs, puisque l'éditorial expose le point de vue du journal, l'éditorialiste a une position privilégiée, voire prestigieuse, au sein de la rédaction. Ainsi, sa fonction est d'habitude explicitée après son nom (directeur de la rédaction, rédacteur, journaliste connu, etc.).

La **place** occupée par l'éditorial dans les quotidiens est généralement à la Une, même si parfois il est placé dans d'autres rubriques, par exemple dans la rubrique « opinions » ou encore « débats ». Dans les revues, il est placé dans les premières pages, souvent avec le sommaire. Il occupe de toute manière une position centrale dans la page. De ce fait, sur le plan typographique, il est mis en évidence par des caractères gras, par des fonds colorés, etc.

L'éditorial

Quels éléments formels caractérisent l'éditorial ?

L'éditorial porte toujours un **titre**. Il est en général court, mais il peut aussi être un clin d'œil au lecteur ou encore un jeu de mots, comme le montrent les deux exemples suivants.

1. Dans le *Monde de l'éducation* de mars 2008, le titre de l'éditorial « La Baleine du Quai de Conti » renvoie à l'Académie française. Or, pour comprendre ce titre, il est nécessaire de savoir que :
– l'Académie française est située quai de Conti ;
– le terme « baleine » évoque cette institution dans la mesure où l'éditorialiste souhaite mettre l'accent sur son poids dans la culture française. On pourrait ici parler d'une métaphore.

2. Dans la revue *Capital* de mars 2008, l'éditorial qui a pour titre « La potion amère d'Attila » parle du rapport Attali*, qui contient des propositions pour faire sortir la France de la crise économique, joue sur la proximité entre deux noms :
– Attali, l'auteur du rapport ;
– Attila a été qualifié, dans certaines cultures, de « fléau de Dieu ». On lui rattache dans l'imaginaire populaire** une image de guerrier sanguinaire, cruel et rusé, aimant la guerre et les pillages.

Pour comprendre le sens du titre, il est en conséquence essentiel de reconnaître le jeu de mots.

L'éditorial se compose de **trois parties** :
– l'**introduction**, dans laquelle le thème, la problématique sont posés, parfois sous forme de question directe afin d'aiguiser la curiosité du lecteur ;
– le **corps** de l'éditorial, dans lequel l'éditorialiste donne son opinion et argumente sa position en s'appuyant sur des faits généralement connus ;
– la **conclusion**, dans laquelle l'éditorialiste rappelle/insiste sur la position choisie. Il est important de remarquer que, souvent, l'éditorialiste ne se limite pas dans la conclusion à résumer, mais fait une projection vers l'avenir, d'où l'utilisation majoritaire du **futur**.

Quant au **style** employé, l'éditorial est synthétique et incisif. Il doit transmettre immédiatement quelque chose au lecteur. Pour cela, l'éditorialiste peut choisir un style recherché ou, à l'opposé, un style plus « relâché » proche du langage parlé.

Quels éléments linguistiques caractérisent l'éditorial ?

Du point de vue linguistique, les éléments qui caractérisent l'éditorial sont :
– l'emploi de la **forme impersonnelle**. Les procédés et tournures impersonnels les plus fréquents sont :
  - *il faut que* + subjonctif ;
  - *il faut* + infinitif ;
  - *il est* + adjectif + *que/de* ;
  - *selon X, d'après X,...* ;
  - le présentatif « c'est » en début de phrase.

– l'emploi récurrent de la **nominalisation** ;
– la **thématisation** sur l'objet dont il est question ;

* Rapport de la Commission pour la libération de la croissance française sous la présidence de Jacques Attali.
** On pourrait également voir une proximité entre la « potion amère » d'Attali et la « potion magique » d'Astérix le Gaulois, autre « héros » français, potion magique censée résoudre tous les problèmes, tout comme le rapport « Attali ».

- l'emploi des **pronoms** « nous » inclusif (« je + nous » = la rédaction) et le « on » (inclusif ou général).

Dans les éditoriaux plus « informels », vous observerez l'emploi du pronom de la première personne du singulier, « je », et du pronom de la seconde personne du pluriel, « vous »; ce dernier est surtout utilisé dans des magazines grand public. La fonction du pronom « vous » est principalement d'établir un contact plus direct avec les lecteurs.

L'on remarque également:
- l'emploi récurrent de la **phrase interrogative directe**, qui permet, entre autres, de donner une opinion personnelle sur le mode impersonnel. Il s'agit dans la majorité des cas, de **questions rhétoriques** dans la mesure où l'éditorialiste ne demande pas une information à son interlocuteur, mais essaie d'obtenir l'adhésion à ce qu'il soutient;
- l'utilisation des citations qui appuient la position exprimée et défendue par l'éditorialiste;
- le recours à des sources officielles/pourcentages/chiffres pour appuyer le point de vue que l'on défend.

Enfin, l'éditorial étant une opinion sur un fait du jour ou récent, le temps de base utilisé dans l'écriture sera le **présent de l'indicatif**.

Observons les trois éditoriaux suivants.

TEXTE 1

Pandore

Vous voulez vous venger d'une sale note ou d'un prof? Vous pouvez désormais le clouer au pilori en le notant au vu et au su de tout le monde. En quelques jours, note2be.com a (5) enflammé la Toile avec plusieurs dizaines de milliers de connexions, avant de s'attirer les foudres des syndicats enseignants et du ministre de l'Éducation. Il faut croire que l'affaire est grave, puisqu'ils ont décidé de sortir (10) la grosse artillerie en saisissant la CNIL. Que l'on ne se méprenne pas. Il n'est nullement question ici de défendre la pratique du lynchage public. Mais impossible de ne pas moquer les arroseurs arrosés, ceux qui vantent – Xavier (15) Darcos en tête – la notation des ministres orchestrée par un cabinet d'audit extérieur – enfin une vision objective ! – et s'insurgent quand des petits malins mal intentionnés dégomment leurs enseignants sur la base de (20) critères « pédagogiques ». Impossible non plus de ne pas se gausser quand le président de la République clame sa volonté de transparence de la vie privée, mais s'enflamme quand elle va trop loin – et elle va trop loin –, jusqu'à fouiller (25) dans les poubelles des portables pour exhumer des SMS. Alors non, il n'est pas souhaitable que les élèves brandissent la tête de leurs profs au bout d'une pique, fût-elle numérique. Mis bout à bout, tout cela dessine une société détestable. (30) Au-delà de cet épiphénomène, ne serait-il pas préférable et nécessaire de produire du savoir, de délier les intelligences, en un mot, de faire avancer cette société de la connaissance qui seule peut nous faire progresser, plutôt que de (35) noter les petits comme les grands de ce monde?

Brigitte Perucca,
Le Monde de l'éducation, mars 2008.

L'éditorial

Texte 2

Dépasser les bornes

L'autre matin, ma tartine beurre salé framboise a eu du mal à passer. Après le lot quotidien de catastrophes et de faits-divers plus ou moins crapuleux, le journaliste de France Inter nous annonçait benoîtement, que dans une génération, les records sportifs ne seraient plus améliorés. L'idée semblait l'amuser que, en 2027 (admirez la précision des chercheurs), les sportifs
5 ne puissent plus grappiller un millième de seconde sur 100 mètres, un centimètre à la hauteur ou un gramme à l'épaulé-jeté. À son contraire, j'étais consterné : l'évolution de l'homme était-elle près de s'achever ? Jamais je n'avais imaginé cette issue, tant elle me paraissait lointaine. Pourtant, à y bien réfléchir, il est logique que la construction physiologique qu'est l'être humain – si merveilleuse et complexe soit-elle – ait des limites qu'on ne saurait repousser indéfiniment.
10 Mais en fait qu'importe que l'un ou l'autre les ait atteintes. L'essentiel n'est-il pas que nous soyons de plus en plus nombreux à nous en approcher ? Et, pour vous je ne sais pas, mais pour ma part, il y a encore une belle marge de progrès. Ma réflexion morose s'est encore adoucie : les limites envisagées sont strictement physiques, quand l'homme ne se résume pas à un paquet de muscles. Les territoires immenses du psychique sont encore à peine entraperçus. Les mystères de l'émotion
15 et de la sensibilité sont sans limites. L'harmonie entre les humains et leur environnement est loin d'être parfaite… Notre bonne santé a encore d'immenses possibilités de s'améliorer. Il reste de beaux jours à l'humanité avant qu'elle soit condamnée au déclin.
Je me suis fait une autre tartine.

Yves George, *Santé magazine*, avril 2008

Texte 3

Joyeux printemps !

En regardant la photo ci-dessus (oui, à ma droite, c'est une poule, pour de plus amples explications voyez notre série **Pool de luxe** page 184), une Cosmogirl qui lutte depuis quelque temps avec un kilo récalcitrant soupire : « C'est peut-être ça, la solution. Pour mincir, arrêtons de manger les poules : faisons-leur la conversation. »
5 La stagiaire réfléchit un instant, avent de conclure, découragée : « Ça ne marchera jamais avec le chocolat. »
Pour être tout à fait honnêtes, à Cosmopolitan, on a un solide coup de fourchette, et on n'a jamais rencontré un œuf de Pâques qui ne nous soit pas sympathique. Si on vivait dans une série télé, ce serait autant « Ugly Betty » que « Sex & the City », voyez ? À ce propos, **pourrait-on vivre dans une série télé** ?

10	La réponse est page 118. Cela posé, de temps à autre, et plutôt avant l'achat de maillot, on se dit qu'il va falloir limiter un peu le capiton. Mais on n'y passe pas notre vie et c'est pour ça qu'on vous propose de **mincir en 5 minutes, un quart d'heure ou une heure (OK, par jour)**, page 138. Ce qui laisse quand même beaucoup de temps pour penser à d'autres choses.
	Par exemple, demandez-vous si c'est **mieux d'être célibataire ou en couple**, page 110, avec un vrai comparatif des états d'âme. Vous commencez à soupirer en songeant aux temps heureux vécus avec votre ex-fiancé ? Suivez notre plan de reconstruction : **Chagrin d'amour, la détox**, c'est page 122.
15	
	Sylvie Overnoy, *Cosmopolitan*, avril 2008.

Dans le texte 1, l'éditorialiste souhaite informer – et en même temps faire réagir – le lecteur sur un fait précis. Pour cela, il choisit d'utiliser un style direct, notamment l'emploi de phrases interrogatives (ligne 17) avec le pronom « vous » et de clins d'œil avec le lecteur marqué souvent par l'emploi d'un vocabulaire plus plaisant, voire relâché (ligne 18 : *petits malins mal intentionnés*; ligne 21 : *se gausser*; lignes 24-25 : *fouiller dans les poubelles*, etc.).

Dans le texte 2, l'éditorialiste invite le lecteur à réfléchir sur un fait : les limites de l'évolution humaine. Par rapport au texte 1, tout en retrouvant un style direct caractérisé par l'emploi majoritaire du pronom de la première personne du singulier « je » (lignes 6-11-18) qui s'adresse à « vous » (ligne 11) ainsi que de phrases interrogatives (lignes 10-11), le vocabulaire utilisé est plus soigné.

Enfin, contrairement aux deux éditoriaux précédents, dans le **texte 3** sont présentés essentiellement les contenus abordés dans le magazine. Dans ce troisième exemple aussi, le style est direct avec l'emploi d'interrogatives (lignes 8-9) et de verbes à l'impératif (lignes 3-14-16). L'emploi des pronoms est ici très intéressant. Plus précisément l'on peut remarquer :
- le pronom « on » employé tantôt à valeur inclusive (vous + nous), tantôt comme synonyme de « nous » ;
- le pronom « vous » pour s'adresser aux lectrices ;
- le pronom « nous » qui renvoie à la rédaction du magazine.

Rédiger un éditorial

Pour rédiger un éditorial, vous devez choisir :
- la fonction principale du texte ;
- le registre linguistique (le niveau de langue) ;
- le type de relation avec le lecteur ;
- l'élément d'ouverture qui vous semble le plus pertinent ;
- le ton (humoristique, ironique, neutre, impératif, relâché...).

S'entraîner à l'épreuve

Combien de mots mon éditorial doit-il comporter ? En combien de temps dois-je traiter le sujet ?

L'éditorial n'est jamais très long. Il occupe en général une colonne, ou deux demi-colonnes. C'est la consigne qui vous indiquera le nombre de mots que vous devez respecter.

L'éditorial

Sur quels critères linguistiques va-t-on m'évaluer ?

Voir tableau page 24.

Quelle est la méthode à suivre pour répondre à un sujet d'écriture d'un éditorial ?

Comme il a été mentionné au tout début, l'éditorial est un genre textuel hétérogène et varié. D'une manière générale, les contenus ainsi que la forme à adopter vous seront précisés dans les consignes. Il existe, cependant, quelques règles générales de rédaction qui vous aideront à sa production.

Plus précisément :

- Vous devez tout d'abord lire la consigne pour savoir :
  – quel est le fait, l'événement à partir duquel vous devez rédiger votre éditorial ;
  – quel est le style adapté au thème qu'on vous demande de traiter afin d'éveiller l'intérêt immédiat du lecteur.
- Vous devez ensuite construire votre argumentation en choisissant les arguments en fonction de l'objectif visé : dénoncer un fait, sensibiliser, donner une opinion, etc.

Activités

A Les deux éditoriaux ci-dessous montrent deux façons différentes de concevoir ce type de texte. Nous avons ainsi :
a. un éditorial qui présente et dénonce un fait ;
b. un éditorial qui présente les contenus du numéro en question.
Faites la liste des différents thèmes traités par les deux journalistes et soulignez les procédés linguistiques mentionnés à la page précédente.

TEXTE 4

Édito Nous voilà de retour pour de nouvelles aventures parisiennes avec ce *Elle à Paris* tout neuf. Épuré, simplifié, plus élégant, plus complet, plus proche.
Vous pouvez glaner, dans ce numéro d'automne, des infos sur les tendances mode et accessoires, les nouvelles adresses pour garder la forme et de bonnes idées déco.
5 Notre invitée, Emma de Caunes, vous emmènera dans ses lieux préférés et vous fera découvrir sa tribu.
Un peu de dépaysement, c'est obligatoire en cette saison ; on vous entraîne vers le cosmopolite quartier d'Aligre. Une mine de restos, épiceries, bars, boutique de mode à tester toutes affaires cessantes.
10 Dans le dossier shopping, plus de vingt pages sont consacrées aux adresses vintage qui vont bien, aux boutiques de créateurs que nous aimons tant, aux petites griffes que nous portons, aux bons plans dont nous sommes friandes, aux grands noms du luxe qui nous font rêver et aux marques de commerce équitable qui nous rendent responsables…
Le guide culture vous offre notre sélection de théâtre, expos, danse, concerts, cinéma… sans
15 oublier une grande rubrique réservée aux enfants… Et puis branchez-vous sur les nouveaux bars-clubs où il fait bon danser. Je vous ai tout dit… Ou presque. Alors, c'est à vous.

Cristina Alonso, *Elle à Paris*, septembre-novembre 2007

TEXTE 5

Gare à la vinophobie

Après l'eugénisme, voici venu le temps de l'hygiénisme. C'est une petite information, passée inaperçue au milieu des fêtes de fin d'année, et qui en dit long sur la maladie qui nous guette. Un mélange de bien-penser, de médicalement correct, de vertu outragée, de principe de précaution avec, en plus, tout le patin couffin.

5 L'information, la voici : après avoir publié, en 2005, un dossier vantant les mérites de plusieurs champagnes, le quotidien *Le Parisien* a été condamné en décembre à verser 5 000 euros de dommages et intérêts à l'Association nationale de prévention en alcoologie et addictologie (l'Anpaa), qui avait saisi la justice. Pensez ! Le journal avait osé titrer, ô horreur : « *Ils sont bons et pas chers.* » Ou bien, pis encore : « *Quatre bouteilles de rêve.* » Mais que fait la police ?

10 Ce n'est pas l'Anpaa, une association utile, qui est en question : elle fait son travail. Non, c'est la justice qui a décidé de mettre le champagne, donc le vin, à l'index. Une suggestion pour la justice : pourquoi ne s'attaquerait-elle pas sur sa lancée à la Bible qui, dans plusieurs passages, conseille de boire du vin - « modérément », il va de soi ? Elle pourrait décider d'en caviarder les nombreuses phrases vinophiles, du genre : « *Le vin pris modérément est la joie du corps et de*
15 *l'âme.* » À moins, pendant qu'on y est, de faire inscrire en grand sur la jaquette du Livre saint : « *L'abus d'alcool est dangereux pour la santé.* »

Franz-Olivier Giesbert, *Le Point*, 17 janvier 2008.

B Les trois éditoriaux ci-dessous n'ont pas le même objectif. Trois fonctions différentes peuvent en effet être dégagées :

a. présenter un fait ;
b. sensibiliser sur un fait ;
c. dénoncer un fait.

Dites quels sont les éléments linguistiques qui vous permettent de différencier les trois différentes fonctions.

TEXTE 6

Éditorial

L'assemblée générale des Nations unies a proclamé 2008 Année internationale des langues insistant sur le fait que la connaissance des langues est essentielle à la coexistence pacifique des peuples et à leur progression vers un développement durable. Les langues constituent le premier maillon de l'articulation harmonieuse entre le global et le local. Cette question du plurilinguisme nous préoccupe particulièrement, c'est pourquoi Le français dans le monde *a décidé de lui consacrer une grande partie de ce numéro qui pourra utilement servir pour préparer le concours* Allons en France *2008.*
Dans le Dossier, nous examinons le plurilinguisme en action ; dans le Point didactique, les expériences d'enseignement qui s'appuient sur la volonté d'entreprendre une éducation plurilingue. Tous les individus sont concernés par cette cause, et en premier lieu les enseignants. Les professeurs, quelle que soit la

L'éditorial

discipline qu'ils enseignent, et s'il s'agit des langues, quelle que soit la langue qu'ils enseignent (langue maternelle ou langue étrangère), devraient avoir à cœur de se muer en ardents défenseurs du plurilinguisme. Les chefs d'établissement ont, eux aussi, un rôle particulièrement important à jouer dans cette croisade, eux qui peuvent permettre à plusieurs langues vivantes d'exister dans un même établissement, eux qui peuvent nommer un coordinateur des langues chargé de faire vivre l'équipe naturellement constituée par les professeurs de langues vivantes. L'adoption généralisée du Cadre européen commun de Référence, *instrument spécifiquement conçu dans une perspective plurilingue, devrait donner une impulsion aux initiatives allant dans ce sens. Enfin, le plus important reste de convaincre les parents que l'élargissement des connaissances aussi bien que les chances de réussite de leurs enfants passent par la connaissance non pas d'une seule, mais de plusieurs langues étrangères.*
Alors bonne année du plurilinguisme à tous!

Françoise Ploquin, Rédactrice en chef / Le français dans le monde, n° 355 (janv.-fév. 2008).

TEXTE 7

édito

L'actualité de l'IUFM de l'académie de Montpellier et celle de la formation des enseignants, de manière générale, sont riches de nouveautés et de projets, mais aussi empruntes d'incertitudes diverses: les perspectives de recrutement aux concours et d'exercice des métiers de l'enseignement, le devenir des structures de formation existantes et les rudes attaques verbales dont elles font l'objet, la multiplication des tâches et des sollicitations auxquelles les formateurs sont soumis, tout cela peut engendrer une certaine morosité et le sentiment d'une injuste reconnaissance du travail accompli. Dans ce contexte, la publication d'*Osmose* vient apporter sa réponse, celle d'une institution au service des politiques éducatives publiques, d'un établissement universitaire tourné vers la recherche et la professionnalisation, d'une communauté professionnelle engagée dans l'amélioration de la formation des enseignants.

C'est autour d'un dossier sur la violence scolaire que se décline la présente édition. À la croisée de multiples chemins, l'identification des violences dans le cadre de l'école et leur traitement dans la relation pédagogique sont, parmi d'autres, de ces questions complexes qui traversent le système éducatif. Elles ne peuvent se résoudre dans des solutions simplificatrices et expéditives. Elles ne peuvent non plus se satisfaire des seules explications savantes, quand bien même leur justesse est avérée. Elles peuvent encore moins se trouver écartées, dans un déni scandaleux qui annulerait la réalité avec une mauvaise foi confortable. Modestement, l'IUFM propose des « dispositifs » et, si ce terme a un sens, il faut y voir un ordonnancement de réponses partielles qui allient réflexion et action, comme le soulignent divers témoignages. Replacer la violence dans des contextes sociologiques, psychologiques et institutionnels; la situer dans le cadre de la relation pédagogique, de l'intervention éducative, la traiter dans une perspective citoyenne, tels sont les éléments proposés dans ce dossier, sans langue de bois, avec derrière chacun de ces termes des concepts précis et des actions pertinentes.

Ce numéro reprend en outre les principales informations qui jalonnent depuis plusieurs mois la vie de l'établissement, des relations internationales aux actions culturelles. Les sites sont présents à travers leurs activités et leur identité. Chacun y reconnaîtra les siens, et je veux faire le pari que tous se reconnaîtront, dans ces événements du quotidien qui fondent notre commune adhésion à un projet de grande ampleur, celui d'améliorer la formation des enseignants.

Patrick Demougin, Directeur, *Osmose*, mai 2006.

Texte 8

STRESS AU TRAVAIL

« Le stress au travail, cette épidémie invisible »

CE N'ÉTAIT pas trop tôt. En annonçant hier qu'une grande enquête nationale portant sur le stress au travail allait être lancée et qu'une « veille épidémiologique » sur les suicides au travail serait mise en place dès 2009, Xavier Bertrand n'a pas fait preuve de rapidité. Le 18 octobre 2005, alors qu'il était ministre de la Santé, on lui remettait déjà un rapport faisant la synthèse des travaux de six commissions dont l'une, intitulée « Violence, travail, emploi et santé ». Or, la question du stress au travail n'a cessé de monter en puissance ces dernières années. La liste s'allonge, trois suicides chez Renault, six chez PSA, quatre à la centrale de Chinon, un à la Poste, un à la BP. Hier encore, on a appris qu'un salarié employé par un prestataire de services travaillant au Technocentre de Renault, s'était suicidé le mois dernier à son domicile, cette annonce intervenant le jour où le directeur des ressources humaines du groupe Renault estimait lors d'une conférence de presse, que l'entreprise était sur « la bonne voie » concernant les conditions de travail à Guyancourt. Selon une source syndicale, un technicien d'intervention de France Télécom de 52 ans s'est pendu dans un bureau du central téléphonique d'Amboise mardi. Il ne fallait pas être grand clerc pour se rendre compte de la dimension prise par ce problème du stress au travail. La France n'est-elle pas le pays le plus grand consommateur de tranquillisants ? L'Institut national de Recherche et de Sécurité estime que 400 000 maladies sont provoquées par le stress professionnel. Les raisons ? La précarité des emplois qui met le salarié dans un rapport permanent de dépendance, la course à la productivité accentuée par des actionnaires qui veulent des taux de profit souvent inatteignables. En France, la norme du taux de profit se situait autour de 2 à 4 % jusque dans les années 80. Dans les années 90, la finance réclame 10 % de taux de rentabilité, puis au début des années 2000 on passe à 15 %. Désormais on tend vers l'exigence des 20 % ! Une situation aggravée parce qu'en France, nous avons le taux d'activité des seniors le plus faible d'Europe et le taux d'inactivité des jeunes le plus fort. Résultat, le travail pèse sur les mêmes personnes : les 30-55 ans. Si vous n'êtes pas convaincus, je vous conseille ce soir sur France 2 « Travailler à en mourir », qui met en lumière cette « épidémie invisible » qu'est la souffrance dans l'entreprise.

Jean-Marcel Bouguereau, *Nouvel Obs*, 13 mars 2008.

C Voici quelques lignes de l'éditorial du magazine *Femme Actuelle* (17-23 mars 2008) dont l'objectif est :

a. d'informer sur la situation de l'eau courante en Afrique ;

b. de sensibiliser le lecteur à la manière dont, avec des gestes simples, il peut contribuer à une meilleure consommation de l'eau dans son quotidien.

En respectant les deux fonctions du texte ainsi que le style choisi par l'éditorialiste, continuez la rédaction de l'éditorial en intégrant le sommaire du numéro (± 150 mots).

Pour quelques gouttes d'eau

Muriel Picard, rédactrice en chef

Ouvrir le robinet et voir couler de l'eau propre à la consommation n'a pour nous rien d'extraordinaire. Mais, pour des millions de gens, cela tient encore du miracle. Une simple fontaine change même radicalement la vie dans ces villages d'Afrique où les femmes et les fillettes doivent aller chercher l'eau à des kilomètres. Échapper à cette corvée, c'est plus de temps pour aller à l'école, cultiver un potager, mettre en route des activités qui feront vivre toute une famille…

L'éditorial

D Écrivez un éditorial dans lequel vous défendez la proposition du gouvernement de supprimer la publicité sur les chaînes télévisées nationales (± 350 mots).

E Avec l'arrivé de la belle saison, la plupart des magazines féminins consacrent des dossiers entiers au « comment faire pour avoir un corps de rêve à exhiber sur les plages ». Écrivez un éditorial dans lequel vous alertez les lectrices des dangers de certains régimes draconiens et de certaines opérations de chirurgie esthétique (± 350 mots).

Chapitre 8
La lettre de motivation

Avertissement

La lettre de motivation n'est pas un exercice académique comme peuvent l'être, par exemple, le résumé ou la synthèse de document. La lettre de motivation, contrairement à toute autre production écrite à caractère académique, fait, a fait ou fera partie de votre vie en dehors de la salle de classe. Toutefois, cet exercice peut vous être aussi demandé dans le cadre de vos études en français langue étrangère. Au niveau de compétence C1 ou C2 du *Cadre européen commun de référence*, un étudiant doit être autonome et capable de réaliser une lettre de motivation, première étape dans la recherche d'un emploi ou pour intégrer un cursus universitaire en milieu francophone.

Ce chapitre n'a pas la prétention de vous guider dans la rédaction de lettres de motivation qui pourraient convenir à tous les secteurs d'activité économique et à toutes les entreprises. Cela serait impossible et ce n'est pas l'objet de cet ouvrage. Nous vous apportons, cependant, une méthodologie générale pour vous aider à maîtriser cet exercice quelles que soient les circonstances.

La lettre de motivation, qu'est-ce que c'est ?

La lettre de motivation est un courrier qui, généralement, accompagne un curriculum vitae (ou CV) et qui s'inscrit, le plus souvent, dans une démarche de recherche d'emploi. La lettre de motivation est adressée à un employeur (directeur d'entreprise, responsable des ressources humaines, directeur ou responsable de département) afin de le convaincre de vous offrir un poste. Il arrive, de plus en plus souvent, que vous soyez tenu de rédiger une lettre de motivation dans d'autres circonstances, par exemple lorsque vous souhaitez intégrer une université ou une école.

La lettre de motivation va permettre, à votre enseignant, à un jury d'examen ou à un employeur, d'évaluer vos capacités, dans le cadre d'une recherche d'emploi (réelle ou fictive) à :
- **vous présenter** en mettant en avant vos forces et spécificités (sur le plan personnel, académique et/ou professionnel) ;
- **synthétiser** vos activités professionnelles passées et vos expériences pertinentes ;
- **convaincre** que vous êtes le candidat idéal pour occuper tel ou tel poste, ou pour intégrer telle ou telle université.

La lettre de motivation

Le document déclencheur de la lettre de motivation

Le plus souvent, une petite annonce (ou offre d'emploi) est à l'origine d'une lettre de motivation. Ces offres d'emploi se trouvent, le plus fréquemment, sur Internet ou dans la presse (journaux, magazines). Elles peuvent ressembler à ceci :

La poste

Facteur, un métier d'avenir qui rime avec dynamisme et contact.

Référence : wazpr_75_456_6

Le Groupe La Poste est le deuxième opérateur postal européen et une grande banque de détail. Pour répondre à la mise en concurrence de ses activités, le pôle courrier a engagé un vaste programme de modernisation industrielle et fait évoluer ses métiers.

Aujourd'hui, 100 000 facteurs sont garants de la qualité de distribution du courrier 6 jours sur 7 en tout point du territoire et constituent le maillon essentiel dans le développement des nouveaux services de proximité.

Statut : CDI

Début : dès que possible, recrutement de 150 facteurs par mois.

Votre profil : Titulaire Brevet des Collèges CAP, BEP ou Bac et du permis de conduire B.

Après avoir reçu une formation professionnelle, un secteur de distribution vous sera confié. Vous aurez la possibilité d'évoluer vers d'autres fonctions du domaine Courrier (facteur d'équipe, facteur qualité, encadrant courrier…).

Vos missions : Préparer et distribuer le courrier, assurer au quotidien la relation avec la clientèle, contribuer à un service de qualité et à l'atteinte des objectifs de votre équipe.

Le facteur exerce la plus grande partie de son métier à l'extérieur. Il connaît les opérations de traitement et de distribution du courrier, la réglementation postale, les informations relatives aux produits, aux tarifs et aux clients, ainsi que les règles de sécurité au travail et sur la route.

Capable d'orienter les demandes des clients, et soucieux de la qualité du service rendu, le facteur possède de réelles qualités relationnelles et le sens de la discrétion. Ponctuel, organisé, rigoureux, et autonome, il sait également faire preuve d'esprit d'équipe et d'entraide. Dynamisme, capacité d'adaptation et faculté de mémorisation facilitent son travail au quotidien.

Rattaché à son encadrant courrier, il travaille en relation permanente avec ses collègues facteurs confirmés dans le but d'améliorer la qualité de service.

Salaire : Non précisé.

http://www.parisjob.com/clients/offres_chartees/offre_chartee_modele.aspx?numoffre=32870&de=consultation

Vous pouvez aussi décider d'envoyer une lettre de motivation (accompagnée d'un CV) à un employeur sans faire référence à une quelconque annonce (on appelle ça une candidature spontanée) parce que vous souhaitez lui proposer vos services pour des raisons professionnelles, personnelles, géographiques… Dans ce cas précis, votre lettre s'articulera autour des informations que vous aurez, au préalable, recueillies sur l'entreprise ou sur son secteur d'activité économique.

La lettre de motivation

Règles générales

Voici les règles générales de la lettre de motivation. Respectez-les tout au long de votre travail.

➜ **Ne dépassez jamais une page.** Votre lettre risquerait de ne pas être lue. Il est important de faire preuve d'esprit de synthèse. Allez à l'essentiel !

➜ **Évitez absolument de répéter ce que le lecteur peut ou pourrait lire sur votre curriculum vitae :** il est généralement joint à votre lettre de motivation. Insistez, cependant, sur les points qui vous paraissent les plus importants. Faites le tri !

➜ **Soignez la qualité de votre français et la mise en page de votre lettre.** Votre lettre doit être agréable à lire. Relisez votre travail et faites le relire par un proche (si vous n'êtes pas, évidemment, en situation d'examen).

➜ **Respectez le plan que vous vous êtes fixé :** votre plan doit être linéaire et respecter l'ordre chronologique soit de vos expériences soit des idées que vous exposez.

➜ **Articulez votre travail en fonction des paragraphes :** articulez chacune des parties et idées les unes avec les autres. Utilisez les marqueurs de relation et les connecteurs de relation que vous connaissez et que vous maîtrisez.

➜ **Respectez scrupuleusement les formules d'appel, de congés, de politesse.** Un employeur, un recruteur fera tout autant attention au fond qu'à la forme de votre courrier.

➜ **Soignez le ton que vous employez.** Ne vous montrez ni prétentieux, ni trop humble. Soyez convaincant.

Vous pouvez, une fois toutes ces étapes franchies, obtenir le schéma suivant.

La lettre de motivation

Roberto GARCIA
3, avenue de la Liberté
67000 Strasbourg
Tél. : 03 88 45 55 66 77
Roberto.garcia@internet.com
Réf. de l'annonce : RD/56/TS

Strasbourg, le 5 mars 2009

Madame la Directrice,

bla bla bla bla bla bla bla bla bla bla bla bla bla bla bla bla bla bla bla bla bla bla bla bla bla bla bla bla bla bla bla bla bla bla bla bla bla bla bla bla bla bla bla bla bla bla bla bla bla bla bla bla bla bla bla bla bla bla bla bla bla bla bla bla bla bla

bla bla bla bla bla bla bla bla bla bla bla bla bla bla bla bla bla bla bla bla bla bla bla bla bla bla bla bla bla bla bla bla bla bla bla bla bla bla bla bla bla bla bla bla bla bla bla bla bla bla bla bla bla bla bla bla bla bla bla bla bla bla bla bla bla bla bla bla bla bla bla bla bla bla bla bla

bla bla bla bla bla bla bla bla bla bla bla bla bla bla bla bla bla bla bla bla bla bla bla bla bla bla bla bla bla bla bla bla bla bla bla bla bla bla bla bla bla bla bla bla bla bla bla bla bla bla bla bla bla bla bla bla bla bla bla bla bla bla bla bla bla bla bla bla bla

bla bla bla bla bla bla bla bla bla bla bla bla bla bla bla bla bla bla bla bla bla bla bla bla bla bla bla bla bla bla bla bla bla bla bla bla bla bla bla bla bla bla bla bla bla bla bla bla bla bla bla bla bla bla bla bla bla bla bla bla

Je vous prie de croire, Madame la Directrice, en l'expression de ma considération distinguée.

Roberto GARCIA

La lettre de motivation

Bla bla bla : formule d'appel et objet de la lettre (l'accroche).

Bla bla bla : raison de votre candidature (adéquation de votre formation et/ou expérience au poste proposé).

Bla bla bla : votre parcours, vos capacités qui font de vous une personne à part.

Bla bla bla : vos compétences qui permettront à l'entreprise de tirer profit de votre présence en son sein.

LA MÉTHODE DE TRAVAIL

La lettre de motivation ne se limite pas à sa rédaction.

Respectez les étapes! Afin de vous faciliter la réalisation de cet exercice, nous vous conseillons de suivre les étapes suivantes:

- lisez attentivement l'annonce qui a retenu votre intérêt;
- entourez chacun des mots clés de l'annonce et soulignez les éléments qui devront être repris, avec vos propres mots, dans votre courrier;
- établissez un plan de rédaction;
- rédigez votre lettre;
- relisez-la au moins deux fois avant de la signer et de l'envoyer, accompagnée de votre CV.

Lisez correctement l'annonce! La lecture de l'annonce est capitale car elle détermine l'organisation et l'orientation que vous allez donner à votre lettre de motivation. N'oubliez pas que, lors de la rédaction, vous devez scrupuleusement reprendre les éléments clés en fonction:

- de la formule d'appel et objet de la lettre (**l'accroche**);
- de la raison de votre candidature (**adéquation de votre formation et/ou expérience au poste proposé**);
- de votre parcours, vos capacités qui font de vous une personne à part;
- de vos compétences qui permettront à l'entreprise de tirer profit de votre présence en son sein.

Soignez votre présentation! N'oubliez pas que vous devez soigner la forme de votre lettre de motivation tout autant que son contenu. Veuillez vous référer au schéma ci-après pour ne rien omettre lorsque vous la rédigerez.

La lettre de motivation

LA FORME DE LA LETTRE		LE FOND DE LA LETTRE
Votre prénom, nom, coordonnées postales et téléphoniques (éventuellement votre adresse électronique)	Ahmed ZEM 6, rue Dorian 59000 Lille Tél. : 06 56 56 76 ahmed.zem@internet.com	
La référence de l'annonce (à partir de laquelle vous avez rédigé ce courrier)	**Réf. :** WART/6/F	
La date (ville + virgule (,) + le + date)	Lille, le 4 mai 2009	
Civilité de la personne (Madame, Monsieur), quelquefois suivi de la fonction (avec une majuscule). *Ex. :* Madame la Directrice. N'oubliez surtout pas de reprendre, à l'identique, la civilité de la personne (et, le cas échéant, sa fonction), dans la formule de congé de votre lettre.	Madame,	
	Titulaire d'un MBA, fortement motivé et disponible dès à présent, je réponds à l'offre d'emploi parue sur votre site Internet pour le poste de responsable marketing.	Formule d'appel et objet de la lettre (l'accroche).
	Grâce à mon parcours scolaire effectué dans des écoles de renom, j'ai acquis de solides connaissances théoriques et me suis spécialisé en marketing direct et gestion de la relation client. J'ai pu, par ailleurs, développer, pendant deux ans, mes compétences de manière pratique au travers d'expériences professionnelles dans des entreprises intégrées à de grands groupes internationaux, en France et au Japon.	Raison de votre candidature (adéquation de votre formation et/ou expérience au poste proposé).
	Mon expérience japonaise m'a permis, en plus d'approfondir mes compétences en langue étrangère, de m'adapter à un nouvel environnement culturel et de découvrir d'autres manières d'appréhender la gestion de la relation client. Ce parcours professionnel, tant en France qu'au Japon, s'est effectué dans le domaine de la téléphonie, secteur dans lequel vous êtes leader sur le marché.	Votre parcours, vos capacités qui font de vous une personne à part.
Chaque partie doit être séparée par une ligne non rédigée.	Être chargé de marketing direct au sein de votre groupe, si présent en Asie, constituerait, pour moi, un défi qui correspondrait à mon profil ainsi qu'à mes aspirations. Dynamique, organisé, ayant de grandes facilités d'adaptation, j'ai le sens des responsabilités, du contact, le goût des initiatives et du travail en équipe.	Vos compétences qui permettront à l'entreprise de tirer profit de votre présence en son sein.
	Je me tiens à votre disposition pour tous les renseignements complémentaires dont vous pourriez avoir besoin et vous prie de croire, Madame, en mes sincères salutations.	Formule de congé.
Votre signature doit apparaître, sur un courrier, à droite (à gauche pour un courriel).	Ahmed Zem	

Soignez la qualité de votre français ! Nous vous invitons à vous référer aux chapitres consacrés aux critères d'évaluation linguistique (page 24).

La lettre de motivation

Activités

Différents documents vont vous être présentés pour que vous puissiez vous entraîner à la technique de la lettre de motivation. Nous vous conseillons, dans un premier temps, de faire les activités qui vous sont demandées. Toutefois, une fois la technique maîtrisée, nous vous recommandons de faire des lettres de motivation complètes pour chacune des activités proposées ci-après.

A Mise en forme de la lettre de motivation.

Votre amie japonaise, Kimiko, a répondu à une offre d'emploi. Elle vous montre la lettre de motivation qu'elle souhaite adresser à l'employeur et vous demande de lui donner vos conseils. Indiquez, afin d'aider Kimiko, ce qui, d'après vous, convient et ne convient pas, sur le fond et sur la forme, dans ce courrier.

Kimiko UTACHI
12 bis, rue du Puits
31000 Toulouse

Tél. : 06 35 67 89
k.utachi@internet.com

Madame,

C'est avec un grand intérêt que j'ai lu votre offre d'emploi d'interprète franco-japonais dans le journal officiel des métiers des langues étrangères auquel je suis abonnée. Récemment diplômée de l'Institut supérieur de traduction de Paris, j'ai eu l'opportunité, durant cette dernière année, d'exercer ma profession dans le cadre d'un stage, auprès de l'ambassade du Japon à Paris. Ce stage s'est déroulé sous la direction de mon directeur de mémoire et celle du Conseiller culturel, coordinatrice des actions menées par l'ambassade en France et au Benelux. J'ai pu, à cette occasion, prendre toute l'ampleur des tâches et des devoirs qui incombent à un interprète. Aujourd'hui à la recherche d'un emploi comme interprète de conférence, j'ai l'espoir de pouvoir concilier ma passion pour les langues étrangères, les contacts avec les acteurs de la scène internationale et le goût d'un métier dynamique. Je sollicite le poste que vous proposez car je souhaite réaliser, plus que tout, ce rêve qui me tient tant à cœur depuis de nombreuses années et qui a pu me guider dans mes études et, maintenant, vers une vie active qui me permettrait de me réaliser tant sur le plan professionnel que personnel.

Dans l'attente de vous rencontrer, je vous prie de croire en l'expression de mes sincères salutations.

Kimiko Utachi

Utilisez le tableau ci-après pour vous aider à repérer les différents éléments que vous devez répertorier.

La lettre de motivation

	Ce qui va	Ce qui ne va pas
La forme de la lettre de motivation	• .... • .... • .... • .... • .... •	• .... • .... • .... • .... • .... • ....
Le fond de la lettre de motivation	• .... • .... • .... •	• .... • .... • .... • ....

B Repérez les mots clés dans une annonce d'emploi.

Vous êtes à la recherche d'un emploi. Vous lisez, dans un magazine, l'annonce ci-dessous. Le poste décrit vous intéresse car il correspond aux études que vous avez faites et à votre expérience professionnelle passée.

Avant de rédiger votre lettre,

a. entourez les éléments qui font référence au poste ;

b. soulignez les éléments qui font référence aux capacités professionnelles du candidat ;

c. surlignez les éléments qui font référence aux capacités personnelles du candidat.

STARAMIS

TÉLÉCONSEILLER H/F – CDD

Référence : **SXB/Téléconseiller**

Métiers : téléprospecteur/enquêteur, téléacteur, téléopérateur/téléconseiller/télévendeur.

Lieu de travail : Carrières-sur-Seine (78) - Saint-Ouen (93) - Boulogne-Billancourt (92).

Formation recherchée : de niveau Bac à Bac +2 Commercial, vous possédez une première expérience réussie dans la vente ainsi qu'un fort tempérament commercial, le sens de la négociation et le goût du challenge. Résistance au stress indispensable.

Autres : la connaissance des outils bureautiques standards est nécessaire.

Type de contrat : CDD (de 4 à 6 mois renouvelable).

Année d'expérience : de 6 mois à 2 ans.

Salaire : Fixe + primes.

Description du profil : expérience en centres d'appels (plus de 6 mois) idéalement en Émission d'appels (prise de rendez-vous, animation réseau ou télévente) cible pro ou particuliers. Bonne élocution, souriant(e), dynamique et impliqué(e).

La lettre de motivation

Description du poste : vous êtes en charge de la prospection sur une cible de clients et/ou prospects professionnels (directeurs informatiques, revendeurs...) pour de la détection de projets informatiques, de l'avant-vente et de l'invitation à des journées portes ouvertes.

STARAMIS est un acteur stratégique du marché du télémarketing et des centres d'appels. Plus de 2200 salariés, une croissance annuelle à deux chiffres s'appuyant sur quatre valeurs phares : confiance, respect, ambition et innovation.

Rejoindre STARAMIS, c'est participer à un secteur d'activité en croissance dans lequel on peut tout à fait faire carrière. STARAMIS apporte à tous ses salariés une expérience professionnelle enrichissante et formatrice, véritable sésame vers les opportunités de poste au sein du groupe.

STARAMIS va vous permettre de découvrir un secteur d'activité passionnant. À travers un accompagnement quotidien sur le terrain et des plans de formations adaptés, nous privilégions l'évolution interne et disposons de collaborateurs compétents et efficaces, capables d'évoluer dans l'entreprise et de renforcer les équipes managériales ou d'évoluer vers les fonctions support.

C Repérez les mots clés dans une annonce d'emploi et élaborez un plan pour votre lettre.

Vous êtes à la recherche d'un emploi. Vous lisez, dans un magazine, l'annonce ci-dessous. Le poste décrit vous intéresse car il correspond aux études que vous avez faites et à votre expérience professionnelle passée.

Avant de rédiger votre lettre,

a. **entourez** les éléments qui font référence au poste ;

b. **soulignez** les éléments qui font référence aux capacités professionnelles du candidat ;

c. **surlignez** les éléments qui font référence aux capacités personnelles du candidat.

BATEAUX PARISIENS
RÉCEPTIONNISTE H/F – CDI
Référence : **BR1/PJ**
Paris
Date : 25/09/2008

Bateaux Parisiens vous propose d'intégrer une équipe jeune et professionnelle dont le principal rôle est d'accueillir une clientèle différente chaque jour à laquelle vous proposez et vendez un service de prestige. Vous assurez l'accueil de notre clientèle internationale ainsi que la vente et la réservation de nos croisières, vous êtes en charge de recevoir et d'orienter les appels, de trier et d'expédier le courrier. Vous procédez également à l'encaissement avant chaque embarquement. Bateaux Parisiens vous offre la possibilité d'accomplir votre fonction au travers de missions variées : la routine fait place à la diversité !

Si vous n'aimez pas la routine et que vous souhaitez travailler dans un cadre féerique, venez rejoindre notre service relation clients !

Vous travaillez auprès d'une clientèle majoritairement étrangère à laquelle vous proposez du rêve... D'excellente présentation, souriant(e) et dynamique, vous disposez d'un sens de l'accueil développé au cours d'une première expérience similaire. Vous parlez couramment anglais et faites preuve de rigueur, d'aisance avec les chiffres. Vous êtes disponible de 9 h à 21 h.

Salaire : 1 625 €/mois

http://www.parisjob.com/clients/offres_chartees/offre_chartee_modele.aspx?numoffre=54677&de=consultation

D Repérez les mots clés dans une annonce d'emploi, élaborez un plan pour votre lettre et rédigez une lettre de motivation.

Vous êtes à la recherche d'un emploi. Vous lisez, dans un magazine, l'annonce ci-dessous. Le poste décrit vous intéresse car il correspond aux études que vous avez faites et à votre expérience professionnelle passée.

Avant de rédiger votre lettre,

a. **entourez** les éléments qui font référence au poste ;

b. **soulignez** les éléments qui font référence aux capacités professionnelles du candidat ;

c. **surlignez** les éléments qui font référence aux capacités personnelles du candidat.

Vous élaborez, ensuite, le plan de votre lettre de motivation et vous la rédigez.

BRIOCHE DORÉE

RESPONSABLES - ADJOINTS DE RESTAURANTS H/F – CDI

Toulouse

Date : 09/09/2008

Enseigne du Groupe Le Duff, Brioche Dorée est le leader de la restauration rapide de tradition française avec plus de 300 restaurants et 3 000 salariés.

Dans le cadre de notre développement, nous proposons des postes de Responsables et d'Adjoints de Restaurants pour renforcer nos équipes sur Paris, Île de France.

Rattaché au directeur régional ou au Directeur de Restaurant, vous assurez une rentabilité maximum du centre de profit et êtes garant du respect de la qualité et du service client. Vous agissez sur le terrain pour dynamiser les ventes, encadrer et motiver votre équipe (20 à 25 salariés).

De formation BTS/BTH, vous avez une expérience de 3 ans minimum dans une fonction de manager en restauration ou grande distribution. Poste évolutif grâce à votre goût du terrain, des challenges et votre sens du commerce. Postes à pouvoir immédiatement.

Salaire : Non précisé.

Adresse : Merci de postuler par courriel sous la référence RSTA75789000

http://www.parisjob.com/clients/offres_chartees/offre_chartee_modele.aspx?numoffre=51455&de=consultation

Corrigés des activités

Chapitre 2
L'organisation des écrits

A **Paragraphe 1**: « La France… 1976 » – **2**: « Dimanche… de deux » – **3**: « Mais en raison… l'Hexagone » – **4**: Instauré en 1976… éclairage » – **5**: « Le changement d'heure… (Ademe) » – **6**: « Plusieurs associations… réalisées ».

B Un chasseur espagnol a été attaqué et blessé par un ours, probablement l'un des plantigrades slovènes lâchés en 2006 dans les Pyrénées françaises, mercredi dans le val d'Aran (Pyrénées espagnoles), près de la frontière française, annonce *La Dépêche du Midi* dans son édition de vendredi.

Le chasseur, Luis Turmo, un retraité de 72 ans, a été attaqué alors qu'il participait à une battue au sanglier avec quatre autres personnes mercredi en milieu de journée, à près de 1 200 mètres d'altitude, indique le journal.

Griffé au bras gauche et mordu au mollet, il a été hospitalisé dans la commune espagnole de Vielha (Aragon), où 15 points de suture lui ont été appliqués.

« L'ours s'est dressé et jeté sur moi. Heureusement, dans la chute j'ai tiré deux coups de feu en l'air. Je pense qu'il a eu peur et s'est enfui », a déclaré le chasseur à un journaliste de *La Dépêche*.

Selon les premiers éléments de l'enquête, l'ours à l'origine de l'attaque serait l'ourse Hvala, lâchée dans les Pyrénées françaises en 2006.

Quatre femelles et un mâle slovènes avaient été lâchés dans les Pyrénées françaises, entre le 25 avril et le 22 août 2006, dans le cadre d'un plan de restauration et de conservation décidé par le ministère de l'Écologie et très fortement critiqué par des éleveurs et des élus locaux.

http://www.lexpress.fr/actualite/depeches/infojour/afp.asp?id=19591

C pour – après que – ensuite – Pour – Puis – Malgré – donc – toutefois.

Chapitre 3
Le résumé

A **Texte 1**

a., b., c.

Voilà un livre qui explique finement comment la cellule familiale est devenue un sac de nœuds (*Quand la famille s'emmêle*, Hachette Littératures). Son auteur, le psychiatre Serge Hefez, ne traque pas les coupables. Il ne donne pas de recette et se garde de céder à la nostalgie d'un ordre trop repassé. Il ne dénonce ni le carcan des règles ni l'absence de repères. Il énonce juste une vérité assez peu confortable: nous souffrons collectivement du « poids écrasant de l'amour et du bonheur ». Devenue un conglomérat d'individus sommés de s'épanouir de façon autonome, la famille n'est plus un cadre rigide, mais une machine à dispenser, paradoxalement, à la fois de l'amour et de la liberté. Mouvante, fragile, protéiforme, elle repose aujourd'hui presque exclusivement sur le lien affectif: on peut, ou on croit, pouvoir le rompre d'un claquement de doigts mais on peut aussi s'y retrouver ficelé, comme l'explique Serge Hefez. En réalité, cet amour fusion crée une dépendance déchirante, et toute rupture, souligne-t-il, prend des accents de tragédie. Entre la famille institution et la famille désir, conclut le thérapeute, il faut inventer de nouveaux liens.

Paru dans www.lexpress.fr, le 08/11/2004. © Jacqueline Rémy, *L'express*, 2004.

d. Nominalisation de chacune des parties (résumé sans faire de phrases)

Le thème du livre et l'objectif de son auteur

Sa définition de la famille

Les risques auxquels la famille nous expose

Attention! Vous remarquez que la source et le nom de l'auteur ne sont pas pris en compte. Seul le corps du texte a été retravaillé.

B Texte 2

a., b., c.

Le mouvement des « Amoureux au ban public » organise ce 14 février la première Saint-Valentin des couples mixtes : une journée de sensibilisation aux difficultés qu'ils rencontrent pour se marier et faire obtenir des papiers au conjoint étranger.

Charlotte et Dany se sont rencontrés pendant leurs études à Saint-Pétersbourg. Lorsque la jeune lyonnaise et son ami syrien se fiancent au bord de la Neva, en trinquant à la vodka, ils sont loin d'imaginer les épreuves qui les attendent. Arrivé en France en février 2006 avec un visa touristique, Dany patiente d'abord 8 mois avant de pouvoir se marier avec Charlotte. Ils pensent alors que leur affaire est réglée. Mais il faut encore prouver 6 mois de vie commune pour obtenir un titre de séjour, et les délais de délivrance sont plusieurs fois repoussés. Après presque deux ans d'attente, d'incertitude et de crainte des contrôles policiers, Dany obtient finalement ses papiers.

Des histoires comme celle-ci, la Cimade, association d'aide aux étrangers, en entend tous les jours. D'où l'impulsion d'un mouvement des « Amoureux au ban public » en juin dernier, pour permettre aux couples mixtes de confronter leurs difficultés et les faire connaître au grand public. Le premier collectif voit le jour à Montpellier. Six mois plus tard, 800 couples sont mobilisés. Et lancent demain leur première journée de sensibilisation, la « Saint-Valentin des couples mixtes ». Au programme : célébration de vingt mariages fictifs à Lyon, bals populaires à Montpellier ou Béziers, banquet à Marseille, manif à Bobigny devant la préfecture de Seine-Saint-Denis.

« Les couples mixtes sont confrontés à des difficultés croissantes », déplore Nicolas Ferran, coordinateur national du mouvement et salarié de la Cimade. La présomption de mariage blanc est quasi systématique ». Les maires ou les consuls demandent en effet de plus en plus d'enquêtes administratives préalables au mariage. Des enquêtes initialement prévues pour vérifier le consentement mutuel. Des enquêtes qui durent souvent des mois, en laissant les couples dans des situations incertaines, comme Dany et Charlotte. Des enquêtes qui, lorsqu'elles sont menées en France, peuvent conduire à l'arrestation du conjoint sans papiers et à son expulsion. Rien qu'au mois de janvier, huit personnes placées en centre de rétention à Lyon étaient sur le point de se marier.

Pour lutter contre ce qu'ils estiment être une atteinte à la liberté matrimoniale, plus de cent couples mixtes ont saisi le Conseil constitutionnel en novembre 2007. En avril prochain, le mouvement des Amoureux au ban public lancera des États Généraux pour regrouper les revendications des conjoints et changer la loi. Et si cela ne suffit pas, ces amants rebelles prévoient de saisir la Cour européenne des droits de l'homme dans le courant de l'année.

d. Plan complet (idées principales et idées secondaires)

Thème principal du document : les difficultés rencontrées par les couples mixtes.

Les couples mixtes s'organisent et se mobilisent :
- ➔ l'exemple de Dany et Charlotte
- ➔ naissance du collectif
- ➔ mise en place d'actions de sensibilisation

Les difficultés rencontrées par les couples mixtes en France :
- ➔ les difficultés administratives sont croissantes
- ➔ les risques sont importants

Les revendications légales des couples mixtes :
- ➔ saisie du Conseil constitutionnel
- ➔ saisie de la Cour européenne des droits de l'homme

C Texte 3

a., b., c.

Un homme sur trois a un salaire inférieur à celui de sa femme

[...] Dans 67 % des couples, l'homme continue de dominer financièrement. « Il y a toujours un fossé entre le discours et le passage à l'acte », observe le sociologue Jean-Claude Kaufmann. Beaucoup d'hommes supportent encore mal l'idée de gagner moins que leur femme, a fortiori d'en dépendre. « En usurpant un avantage financier, précise l'historien André Rauch, auteur de *L'Identité masculine à l'ombre des femmes* (Hachette), non seulement elle le prive de son rôle protecteur et l'affecte dans son identité masculine, mais elle le discrédite vis-à-vis de ses pairs. » Aux yeux de beaucoup, l'argent reste majoritairement associé au pouvoir, et le pouvoir, à l'homme [...]. « Un homme dépassé par la condition de sa femme aura l'impression de perdre son identité masculine et ses compétences sexuelles », déplore le sociologue Serge Chaumier. [...] Nicolas a quitté son job de consultant pour créer sa PME. « Pour pouvoir développer son activité, il est obligé de réinvestir tout ce qu'il gagne dans la société », explique sa compagne, Sophie, qui occupe un poste important dans l'administration. « Personnellement, ça ne me pose aucun problème. Ce qui importe, c'est que Nicolas s'épanouisse professionnellement. Mais mes parents s'imaginaient que j'allais épouser un polytechnicien ou un énarque... ».

À les entendre, le problème vient toujours du regard des autres. Peu de ces couples différents acceptent de témoigner à visage découvert. Pourtant, les revenus ne sont pas le seul indicateur d'une réussite sociale ou personnelle. [...]. Paradoxalement, ce sont peut-être les femmes qui, dans ces nouveaux couples, attachent le plus d'importance à l'argent, gage de leur indépendance.

Une enquête réalisée en 2002 par la Caisse d'épargne démontre que, pour elles, l'exercice d'un métier rime, dans 60 % des cas, avec l'indépendance. Dans la loi, l'autonomie financière des femmes, il est vrai, est une conquête récente. « Les hommes élevés sur le modèle patriarcal vivent généralement moins bien le différentiel de salaire que ceux qui sont imprégnés du discours d'égalité des sexes, explique Serge Chaumier. Tout dépend surtout du contrat que le couple passe au départ. » Sur ce sujet, Mercedes Erra, présidente d'Euro-RSCG, peut savourer sa chance : son compagnon, Jean-Paul Valz, est entièrement acquis à la cause des femmes. « Jamais je n'ai regardé une femme de tête comme une bête curieuse. Pour moi, les femmes ont autant le droit de réussir que les hommes. » Jean-Paul ne se contente pas de beaux discours. En 1995, il a décidé d'arrêter de travailler pour s'occuper de la maison, de ses cinq fistons... Et de sa superwoman. « Je ne me suis pas sacrifié, tient-il à préciser. J'ai vraiment eu la vie que je voulais. Pour moi, la famille vaut plus que tout le reste. »

Un point de vue partagé par la grande majorité des Français. À une époque où les couples sont devenus moins pérennes, 72 % des femmes et 63 % des hommes continuent de considérer la famille comme une valeur centrale dans leur vie. On peut même d'autant plus l'investir qu'elle est plus « choisie » qu'autrefois. Les hommes qui décident de s'occuper de leur foyer constituent une espèce rare mais plutôt tendance. Paul est de ceux-là. Marié et père de trois enfants, cet informaticien de 37 ans dit avoir toujours accordé la priorité à son foyer. « Cela m'a contraint à quelques sacrifices, reconnaît-il. J'ai renoncé à terminer mes études, refusé plusieurs promotions, mais je ne le regrette pas. Si j'avais fait carrière comme ma femme, avocate au barreau des Hauts-de-Seine, j'aurais eu un salaire plus élevé, certes, mais j'aurais aussi été plus stressé et moins disponible. Là, à 16 h 30, je suis tranquille ! » Façon de parler. Car, à peine rentré à la maison, Paul entame sa seconde journée. « S'occuper des tâches ménagères fait partie des choses de la vie, qu'on soit un homme ou une femme », affirme-t-il. [...].

Paru dans www.lexpress.fr, le 21/01/2005. © Élodie Cheval, *L'Express*, 2005.

d. Plan général

Masculinité et pouvoir

Masculinité et tradition sociale

Les femmes et la réussite sociale

Le modèle patriarcal : un contre modèle pour certains

La famille : élément fédérateur pour le partage des rôles

D Texte 4

Enquête sur ces sociétés qui cherchent à garder leurs quinquas. Même si elles restent encore minoritaires, le mouvement général est lancé

Pas adaptables les seniors ? Peu mobiles ? Moins compétitifs que leurs cadets ? Les idées reçues ont la vie dure. Et les chiffres semblent les valider. En France, les préretraites ont fait basculer le taux d'emploi des 55-65 ans sous la barre des 38 %, l'un des plus bas d'Europe. Et une enquête Manpower révèle que seulement 6 % des employeurs interrogés ont développé des mesures spécifiques pour recruter des quinquas.

Brigitte Ustal-Piriou, responsable du groupe de réflexion sur la gestion des âges à l'ANDCP (l'association des DRH), préfère parler de verre à moitié plein. « Avant tout, les entreprises n'affichent pas de politique discriminatoire, estime-t-elle. Elles doivent s'occuper de l'ensemble de leur population, y compris des seniors. »

Il n'empêche, après les vagues de départs en préretraite, les grands groupes ont dû opérer des virages à 180 degrés et réviser complètement leur politique. Telles les Caisses d'épargne où, avant 2000, les salariés partaient à 53 ans pour les femmes et 58 ans pour les hommes. Une époque révolue qui a nécessité une redynamisation des collaborateurs sur le point de partir. Les caisses ont réalisé entretiens de carrière, bilans de compétence, séminaires. Sept ans plus tard, le bilan est plutôt positif et nombre de seniors ont évolué vers d'autres fonctions.

Dans l'industrie, des entreprises ont introduit des aménagements horaires, des ergonomes ont fait leur apparition, notamment dans l'automobile, pour adapter les chaînes de montage. Et, en parallèle, les sociétés cherchent à valoriser un savoir-faire dont elles ont plus que jamais besoin. Sur le site GE Healthcare de Buc, en région parisienne, spécialisé dans les produits d'imagerie médicale, on fait appel aux quinquas pour le mentoring, la formation, le coaching. « Ils sont en tête de liste grâce à leur expérience, leur expertise, leur connaissance des process et des organisations », souligne Karine Rolland-Roumegoux, RRH pour les fonctions ingénierie.

Vinci pratique lui aussi le tutorat et la formation interne avec l'aide de ses seniors. Dans le même temps, entretiens annuels et entretiens de carrière réguliers permettent, à tous les âges, de faire le point sur les compétences et la formation, « justement pour ne pas avoir à gérer une carrière senior, souligne Véronique Pédron, à la DRH groupe. Il ne s'agit pas d'une population à part, ils font partie de la gestion des RH », ajoute-t-elle. Si les mentalités évoluent en interne, la progression est beaucoup plus lente à l'externe.

Lorsque François Humbert a commencé à chercher du travail à 45 ans, cet ingénieur, ancien directeur commercial dans une SSII, a entendu qu'à son âge, il ne fallait pas espérer grand-chose. Le choc. Il y a un an, il a créé son cabinet, Cadres Seniors Consulting, ciblé sur le recrutement des 45 ans et plus. Avec un constat : si peu d'entreprises pensent aux seniors d'emblée, réflexion faite, elles embauchent. Certaines sociétés, trop rares, en font même un moyen de stabiliser leurs équipes, voire un avantage concurrentiel.

Le cabinet Menway international a voulu innover. Avec une quarantaine d'entreprises toulousaines, il a lancé l'association RED (Réseau emploi durable) autour d'une idée simple : anticiper les ruptures et les licenciements en connaissant les besoins de chacun. Et au sein du RED, il a créé une pépinière de seniors qui permet aux cadres « sur la touche » de se relancer. D'abord détachés de leur entreprise, ils peuvent dans un deuxième temps envisager une nouvelle carrière. Une mobilité intéressante, qui ne doit pas masquer une double réalité, estime Olivier Spire, PDG de Quincadres. « Pour les non-cadres seniors, la situation reste très difficile. En revanche, les cadres connaissent le quasi-plein-emploi. »

Le retour à un poste passe certes très souvent par la case missions ou CDD au départ, mais l'ostracisme n'est plus de mise, affirme-t-il. Craignant une pénurie dans un an, il bichonne dès aujourd'hui ses candidats !

Plan général

Le sous-emploi des seniors

L'évolution proposée par les entreprises

Les stratégies et les moyens mis en place par les entreprises

La lutte contre les idées reçues
L'avantage donné aux cadres
Espoir

Résumé

En France, à cause des préretraites, le taux d'emploi des personnes âgées de plus de 55 ans est très bas comparativement aux autres pays d'Europe. Certaines entreprises, afin d'éviter un départ massif de leurs employés de cette classe d'âge, tentent de redynamiser leur carrière. Des moyens et des stratégies sont alors mis en place, allant de l'amélioration des conditions de vie à de nouvelles fonctions souvent liées à l'ancienneté de ces employés expérimentés. Certains seniors, par ailleurs, victimes d'idées reçues et de discrimination, décident de se lancer en affaires de façon indépendante ou confient leur avenir à des cabinets spécialisés dans le recyclage professionnel. Le taux de réemploi est toutefois plus élevé pour les cadres que pour ceux qui ne le ne sont pas même si, d'une façon générale, les mentalités évoluent de façon positive.

→ 145 mots

Chapitre 4
La synthèse des documents

A

➔ Repérage :
- du thème général → **La lutte contre l'obésité**
- des mots clés → les mots clés sont soulignés, en gras

➔ Élaboration d'un plan

Idée essentielle 1 → **Les solutions médicales**
Idée secondaire 1 → L'obésité en France (Texte 3)
Idée secondaire 2 → La recherche médicale (Texte 1)
Idée secondaire 3 → Les messages sanitaires (Textes 2 et 3)

Idée essentielle 2 → **Les moyens politiques**
Idée secondaire 1 → La pression mise sur les industriels de l'agroalimentaire (Texte 2)
Idée secondaire 2 → La restriction et l'usage de la publicité (Textes 2 et 3)

Introduction. Repérage des mots clés :
Trois journalistes de L'Express et de l'AFP traitent, dans deux articles et une dépêche publiés entre 2007 et 2008, des moyens mis en place actuellement pour lutter contre l'obésité en France.

Texte 1. protéine – le traitement de l'obésité – Une équipe de chercheurs suédois – les patients – façons de traiter l'obésité – chercheurs – la cachexie.

Texte 2. la lutte contre l'obésité infantile – l'industrie agroalimentaire – une loi – protéger les enfants – la publicité – du texte – produits déséquilibrés – la qualité nutritionnelle des aliments – évaluer l'impact des messages – capacités cognitives – l'interdiction – les adultes – éduquer – manger sainement – consommation – les légumes et les fruits frais – une baisse – les efforts de l'intrustrie agroalimentaire insuffisants.

Texte 3. des messages sanitaires – les pubs – santé – Les publicités – les produits alimentaires – sensibiliser – risques – mauvaise nutrition – l'opinion – santé – fruits et légumes – entreprises – la règle – taxe – INPES – UFC-Que Choisir – galéjade – dispositions réglementaires – ministre de la Santé – La France – surpoids – maladies.

B

➔ Repérage :
- du thème général → **La régularisation des sans papiers**
- des mots clés → les mots clés sont soulignés, en gras

➔ Élaboration d'un plan

Idée essentielle 1 → **L'immigration est un facteur de développement**
Idée secondaire 1 → Facteur de développement économique (Textes 4 et 5)
Idée secondaire 2 → Facteur de développement démographique (Texte 5)

Idée essentielle 2 → **L'Europe tente de s'ouvrir**
Idée secondaire 1 → Le cas français (Textes 4 et 5)
Idée secondaire 2 → Le cas italien (Texte 5)
Idée secondaire 3 → Le cas anglais (Texte 6)

Introduction. Repérage des mots clés :

En 2008, trois articles ont été publiés dans *L'Express* et *Libération*, peu après la sortie du rapport Attali, et traitaient du délicat problème de la régularisation des sans-papiers.

Texte 4. L'immigration, solution d'Attali pour doper l'économie – La commission pour la croissance – l'ouverture des frontières – aux travailleurs étrangers – redynamiser l'économie française – libéralisation de l'immigration – travail en tension – facteur de développement – création de richesse – croissance – politique très restrictive – d'ordre répressif – l'ouverture – faciliter – l'immigration de travail – sélectionner – profession – origine géographique – métiers « en tension » – la loi – régularisation aux sans-papiers – secteurs « tendus » – quotas – arbitraire – recensement des offres d'emploi – statistique – la France qui choisit les migrants – l'égalité de l'homme et de la femme – diversité – politiques d'intégration.

Texte 5. d'immigrés – Le manque de main-d'œuvre – secteurs – recours accru aux étrangers – gouvernement – quotas – permis de séjour – la clandestinité – régularisés – circulaire du ministère de l'Immigration – régularisation – travail des clandestins – pénurie de main-d'œuvre – engager des salariés – nouveaux pays membres de l'UE – dépendante – la protection de nos frontières – la politique restrictive – peinent – main-d'œuvre – volume d'emploi – préconisant – large ouverture – frontières – études – pays d'Europe proches – la démographie – taux de natalité – renouvellement des générations – maintenir la croissance – appel aux étrangers – décès – facteurs de croissance – population – quota – permis de séjour – contrat de travail – loterie des immigrés – taux de fécondité.

Texte 6. Régularisation à l'anglaise – Royaume-Uni – sans-papiers – régularisés – laissés en souffrance – gouvernements – décision – pression de la fédération – industriels – dynamisme économique – d'expulsion – quotas – souhaite résoudre – favoriser une immigration de travail – maîtriser – clandestins – traités bilatéraux – cartes de séjour – qualifiés.

C

→ Lecture des documents
→ Repérage :
- du thème général → **Être senior et actif**
- des mots clés → Les mots clés sont en gras

→ Élaboration d'un plan

Idée essentielle 1 → **Les seniors et le temps libre**
- Idée secondaire 1 → L'âge d'être senior (Texte 8)
- Idée secondaire 2 → Les nouvelles tendances du plaisir (Texte 8)

Idée essentielle 2 → **Les seniors et le travail**
- Idée secondaire 1 → Le monde du travail s'adapte (Textes 7 et 9)
- Idée secondaire 2 → La volonté politique (Textes 7 et 9)

Synthèse de documents

Trois journalistes de *L'Express* et de *L'Expansion* abordent dans des articles publiés en 2006 et 2007, la situation, en France, de l'activité des seniors.

On est en droit de se demander, dans un premier temps, à quel âge devient-on senior. Cette limite, cette frontière est, en fait, fixée par ceux qui considèrent les seniors comme un marché économique à conquérir. On est senior à 60 pour certaines entreprises, à 55 ans pour d'autres institutions. Une chose est certaine : être senior aujourd'hui ce n'est pas être vieux, et surtout pas inactif.

J. Rémy présente, non sans humour, les activités proposées aux seniors dans notre société actuelle. Cela va des passe-temps traditionnels aux activités les plus extravagantes sans oublier la maîtrise des nouvelles technologies qui devient même un enjeu pour le gouvernement.

Même dans le monde du travail, les entreprises et les syndicats, de plus en plus, tentent de redynamiser la carrière des employés qui, dès 55 ans, sont susceptibles de partir en préretraite. Des formations, des reclassements et des aménagements des conditions de travail sont proposés aux salariés de cette tranche d'âge. Même l'ANPE leur propose des services spécifiques adaptés à leur réalité. Il faut, en parallèle, que les entreprises et les seniors eux-mêmes luttent contre les idées reçues sur l'âge et les discriminations qui en découlent.

Enfin, les politiques ont bien saisi l'ampleur du problème, au-delà même de la volonté d'occuper les seniors. La France détient un taux d'emploi des seniors très bas par rapport à la majorité des pays européens à cause des préretraites. Des plans d'action sont prévus et devraient permettre de réduire les départs en retraite anticipés grâce, notamment, à un renforcement des lois de licenciement, des avantages financiers et de nouvelles formes d'emploi.

→ 288 mots

Texte 7

Ces entreprises qui misent sur les seniors

Enquête sur ces sociétés qui cherchent à garder leurs **quinquas**. Même si elles restent encore minoritaires, le mouvement général est lancé

Pas adaptables les **seniors** ? Peu mobiles ? **Moins compétitifs** que leurs cadets ? Les **idées reçues** ont la vie dure. Et les chiffres semblent les valider. En **France**, les **préretraites** ont fait basculer **le taux d'emploi** des 55-65 ans sous la barre des 38 %, l'un des plus bas d'Europe. Et une enquête Manpower révèle que seulement 6 % des **employeurs** interrogés ont développé des **mesures spécifiques** pour **recruter** des quinquas.

[...] Après les vagues de départs en préretraite, les grands groupes ont dû opérer des virages à 180 degrés et **réviser complètement leur politique**. Telles les Caisses d'épargne où, avant 2000, les salariés partaient à 53 ans pour les femmes et 58 ans pour les hommes. Une **époque révolue** qui a nécessité une **redynamisation** des collaborateurs sur le point de partir. Les caisses ont réalisé entretiens de carrière, bilans de compétence, séminaires. Sept ans plus tard, le **bilan est plutôt positif** et nombre de seniors ont évolué vers **d'autres fonctions**.

Dans **l'industrie**, des entreprises ont introduit des aménagements horaires, des ergonomes ont fait leur apparition, notamment dans l'automobile, pour adapter les chaînes de montage. Et, en parallèle, les sociétés cherchent à valoriser un savoir-faire dont elles ont plus que jamais besoin. Sur le site GE Healthcare de Buc, en région parisienne, spécialisé dans les produits d'imagerie médicale, on **fait appel aux quinquas** pour le mentoring, la formation, le coaching [...].

Vinci pratique lui aussi le tutorat et la formation interne avec l'aide de ses seniors. Dans le même temps, entretiens annuels et entretiens de carrière réguliers permettent, à tous les âges, de **faire le point** sur les **compétences** et la **formation**, « justement pour ne pas avoir à **gérer** une **carrière senior**, souligne Véronique Pédron, à la DRH groupe. Il ne s'agit pas d'une population à part, ils font partie de la gestion des RH », ajoute-t-elle. Si les **mentalités évoluent** en interne, la progression est beaucoup plus lente à l'externe.

[...] Le cabinet Menway international a voulu innover. Avec une quarantaine d'entreprises toulousaines, il a lancé l'association RED (Réseau emploi durable) autour d'une idée simple : anticiper les ruptures et les licenciements en connaissant les besoins de chacun. Et au sein du RED, il a **créé** une pépinière de seniors qui permet aux **cadres** "sur la touche" de **se relancer**. D'abord détachés de leur entreprise, ils peuvent dans un deuxième temps envisager une **nouvelle carrière**. Une **mobilité intéressante**, qui ne doit pas masquer une **double réalité**, estime Olivier Spire, PDG de Quincadres. « Pour les **non-cadres** seniors, la situation reste très difficile. En revanche, les cadres connaissent le quasi-plein-emploi. » Le retour à un poste passe certes très souvent par la case missions ou CDD au départ, mais l'ostracisme n'est plus de mise, affirme-t-il. Craignant **une pénurie** dans un an, il **bichonne** dès aujourd'hui ses candidats!

Paru dans www.lexpress.fr, le 09/05/2007. © Christine Piedalu, *L'Express*, 2007.

Texte 8

La fureur de vivre

Rien n'est trop beau pour les **baby-boomeurs** à l'âge de la **retraite**. La **vieillesse** attendra...

À entendre les marchands de bonheur du Salon des seniors, qui vient de se tenir porte de Versailles, à Paris, **c'est le nirvana** qui attend les **Français**. Pensez à tout ce que vous pourrez faire quand vous serez, donc, « senior » : **vous initier** à l'aromathérapie, au jardinage ou à la généalogie, vous mettre à la randonnée pédestre et à l'aquarelle, prendre un coach « pour vos projets de vie », **vous installer** pour l'hiver en caravane sur une plage du Maghreb, **changer** de conjoint – c'est tendance – ou, plus rigolo encore, **devenir** mannequin, comme Catherine Deneuve, 62 ans, ou Kim Basinger, 52 ans, qui vantent les bienfaits de cosmétiques. Le magazine *Notre temps* vient d'ailleurs d'organiser, le 1er avril, un concours de mannequins seniors. Vous pourrez **vous lancer** sur Internet : 37 % seulement des seniors sont équipés en nouvelles technologies (pour 60 % des Français), mais un programme gouvernemental vient d'être lancé pour réduire la « fracture » numérique. Génial, non ?

Oui, mais à quel **âge** devient-on **senior** ? 50 ans, pour ceux qui s'intéressent au **marché** que vous constituez (47 % du pouvoir d'achat national), 60 ans, pour ceux qui vous octroient des réductions, comme la SNCF qui a remplacé la carte Vermeil par la Senior en 1998. Selon la linguiste Henriette Walter, le mot « senior » vient du latin et signifiait « **sage** » : « Quand les vieux sont devenus des gens qui ont des moyens, on a décidé de les respecter en les appelant seniors. » En fait, ce sont les **baby-boomeurs** qui ont piqué le terme aux Américains, épris d'euphémismes, au moment où ils flanchaient à l'idée de passer pour « **vieux** », alors qu'ils se préparaient à vivre une **nouvelle adolescence**. Ils avaient déjà fait le coup avec les teen-agers, un mot inventé exprès pour eux, quand ils ont bloqué à l'idée de devenir, d'un coup, **adultes**.

Doit-on obligatoirement passer par la case senior **avant le grand âge** ? Peut-on rester senior **jusqu'à la fin de la vie** ? Impossible, que deviendraient les « vieux » ? Car la vieillesse arrive toujours, rappelle joliment, drôlement, Benoîte Groult, 86 ans, dans son nouveau roman, *La Touche étoile* (Grasset). Alors, vers 85 ans, « c'est irréversible et c'est accéléré, écrit-elle. J'en suis à pleurer sur le paradis de mes 83 ans, c'est dire ». Elle grogne surtout contre ce monde où la vieillesse est un péché, mais où **la mort ne se choisit pas**. Elle aussi a **la fureur de vivre. Dignement**.

Paru dans www.lexpress.fr, le 06/04/2008. © Jacqueline Remy, *L'Express*, 2006.

Texte 9

Le **gouvernement** veut **maintenir** les **seniors** au **travail**

Pour faire en sorte qu'un **senior** sur deux soit **en activité** d'ici 2010, au lieu d'un sur trois actuellement en France, le **gouvernement a un plan**, dont Gérard Larcher, le ministre délégué à l'Emploi a présenté le texte mardi aux partenaires sociaux. Doté de 10 millions d'euros, ce plan senior pourrait **entrer en vigueur** dès le mois de juin.

Première idée : **éviter** désormais que **les seniors soient écartés prématurément de l'entreprise**, le gouvernement veut **mettre un terme** au système des **pré-retraites**, qui seront désormais très **limitées**. Les accords de branche ne pourront plus passer **abaisser l'âge** de départ en retraite sous les 65 ans. Par ailleurs, les seniors seront **mieux formés**. C'est la fameuse « **sécurisation des parcours professionnels** ». Un employeur ne pourra plus **refuser** à un salarié de plus de 50 ans un **droit individuel** à la **formation**. D'autre part, les salariés de plus de 45 ans auront droit à un entretien individuel tous les cinq ans pour faire le point sur ses **compétences** et **ses besoins** de formations. Il pourrait à cette occasion demander un **aménagement** de son poste ou de ses horaires.

Pour permettre aux plus âgés d'espérer **retrouver un emploi**, les partenaires sociaux s'étaient mis d'accord pour créer un CDD **spécialement adapté** aux salariés de plus de 57 ans, en recherche depuis plus de trois mois ou en convention de **reclassement** personnalisé. Un CDD de 18 mois, renouvelable une fois, soit un maximum de trois ans, alors qu'aujourd'hui, la durée du CDD et de son renouvellement ne peut excéder un an et demi. Les syndicats reconnaissent que le succès de ce contrat de travail dépendra de **l'engagement des employeurs**. Le gouvernement a tranché sur la contribution Delalande, qui rendait plus cher le **licenciement des salariés** de plus de 50 ans. Considérée comme **un « frein »** à l'emploi des seniors par le Medef, elle sera supprimée, au grand dam des syndicats qui craignent au contraire des licenciements moins coûteux. L'ANPE aurait un service spécifique pour les seniors. Et le plan imagine de « **nouvelles formes d'emploi** » : des employeurs pourraient se partager un même salarié senior, ou un même poste serait partagé par plusieurs seniors. Aujourd'hui, les plus de 50 ans ont deux fois moins de probabilité de **retrouver un emploi** que les 30-49 ans.

Troisième idée : **maintenir les seniors en activité** le plus longtemps possible grâce à des incitations financières. Désormais, le **cumul emploi et retraite** pourrait dépasser le montant du dernier salaire d'activité. Et sous réserve de l'accord du Conseil d'orientation des retraites, ceux qui travailleraient au-delà de l'âge de leur retraite verraient leurs pensions majorées encore un peu plus. Enfin, les plus de 60 ans pourraient **cumuler un mi-temps** travail et mi-temps retraite s'ils ont cotisé au mois 132 trimestres. Prévu par la loi Fillon, le mécanisme n'a jamais été appliqué, faute de décret. Il ouvrirait des **droits supplémentaires** à la **retraite**. Enfin le gouvernement espère **lever le frein du préjugé** avec une grande campagne de sensibilisation auprès des employeurs, qui absorbera à elle seule la moitié du budget du **plan**. [...]

Paru sur le site L'Expansion.com, le 17/01/2006. © *L'Expansion*, 2006.

Chapitre 5
L'article de presse

A Texte 10 : « Le multilinguisme selon Bruxelles ».

Présentation générale : titre, sous-titre, chapeau (qui a une fonction d'introduction).
Corps de l'article : à partir du premier intertitre (*Contraintes techniques et humaines ?*) jusqu'au dernier paragraphe (*Anglophonie galopante*).
Ici, la journaliste entre au cœur du thème abordé et explique ce que comporte le fait d'avoir 23 langues à la Commission européenne en termes de traductions, nombre de traducteurs et organisation logistique.
Clôture : à partir de « À quoi sert Léonard Orban... ». L'on ouvre ici sur le rôle de Léonard Orban, Commissaire européen au multilinguisme.

B *Texte 11* **: « Erika » : Total veut bien être solvable mais pas coupable ».**

a. Exemple de reformulation avec passage au discours rapporté.

Pollution
« Erika » : Total veut bien être solvable mais pas coupable

Il avait encore jusqu'à à la semaine prochaine pour réfléchir, mais Total, vendredi, a pris sa décision, pesée dans ses moindres détails.
Alors que beaucoup s'attendaient à le voir faire acte de contrition et brandir bravement son panache vert, le groupe pétrolier a choisi de faire appel de sa condamnation pour « pollution maritime » dans le naufrage du pétrolier Erika le 12 décembre 1999. Un appel pour le principe : le groupe estime la décision de justice rendue le 16 janvier injustifiée et allant

à l'encontre du but recherché, c'est-à-dire améliorer la sécurité dans le transport maritime, mais il s'engage parallèlement à verser immédiatement et de manière irrévocable aux victimes de la pollution les indemnités fixées par le tribunal.
« Poche profonde ». Vendredi soir l'avocat de Total, Me Soulez-Larivière après avoir déposé, à 17 h 30, la décision d'appel a expliqué que Total a déjà exercé sa solidarité à l'égard des victimes de la marée noire en versant dès le début 200 millions d'euros pour réparation des dégâts causés. Il a aussi ajouté que cette solidarité n'était pas terminée et continuerait à s'exercer : Total va payer tout ce qu'on a réclamé, rubis sur l'ongle et de façon définitive, quel que soit le résultat de l'appel. Cela étant dit, il insiste sur le fait que ce n'est pas parce que Total exerce une solidarité qu'elle doit assumer une responsabilité juridique. En effet, on reproche à l'entreprise les travaux de réparation du navire qui avaient été mal faits, mais pour Total celui qui utilise un navire ne doit pas être aussi celui qui le contrôle.
Le patron du groupe, Christophe de Margerie explique sa position ce samedi dans Ouest-France. Il aurait effectivement voulu refermer le dossier, mais en tant que chef d'entreprise il se doit de défendre les intérêts du groupe.
« Dommage ». Un argumentaire qui ne convainc pas les parties civiles. Alain Bougrain-Dubourg, président de la Ligue de protection des oiseaux évoquait vendredi que l'enquête avait montré que Total était au courant qu'il faisait transporter son pétrole par un navire poubelle et trouve cette attitude de compassion indécente. La LPO envisage ainsi de demander une révision à la hausse des dommages et intérêts accordés au nom de préjudice écologique. Idem pour Greenpeace, qui continue de réclamer 1 milliard d'euros en tout. Yannick Jadot souligne avec vigueur que, comme toujours, Total veut bien payer un peu mais ne veut assumer sa responsabilité juridique.
Enfin, Corinne Lepage, l'avocate qui représentait les collectivités locales au procès dit qu'il serait plus judicieux de ne pas accepter l'offre de Total car ce combat n'était pas seulement pour de l'argent. Elle poursuit que le tribunal avait donné sur un plateau d'argent la possibilité à Total de s'en sortir par le haut et, en agissant de la sorte, le groupe a raté l'occasion.

b. Exemple de brève.

Qui ?	Total	La justice	les parties civiles (la Ligue de protection des oiseaux = LPO et Greenpeace)
Quoi ?	Décision de faire appel de la condamnation pour « pollution maritime »	Condamnation pour « pollution maritime »	
Quand ?	Vendredi 17 h 30	16 janvier	vendredi soir
Où ?			
Comment ?			
Pourquoi ?	Refus d'assumer la responsabilité juridique de la pollution maritime	Naufrage du pétrolier Erika	
Conséquences			Dépôt de demande de révision des dommages et intérêts pour préjudice écologique

« Erika » : la suite

Vendredi soir Total a décidé de faire appel de la condamnation pour « pollution maritime » rendue le 16 janvier dernier suite au naufrage d'« Erika » (12 décembre 1999). En effet, la société accepte d'être solidaire et de payer les dégâts causés mais refuse d'être jugée responsable du naufrage du navire.
Une demande d'augmentation des dommages et intérêts accordés au nom du préjudice écologique a été ainsi envisagée dès vendredi soir par les parties civiles (la Ligue de protection des oiseaux et Greenpeace).

C

Substantifs/noms propres	Pronoms personnels	Possessifs
Me Olivier Brane (ligne 8)	Il (ligne 13)	Son témoignage (ligne 20)
Me Olivier Brane (ligne 11)	Il (ligne 14)	
Me Brane (ligne 16)		
Me Brane (ligne 37)		
Associé (ligne 52)		

D Exemple d'article à partir du Texte 15.

Début d'incendie à Saint-Jean-de-Garguier.

Mobilisation des pompiers hier après-midi dans la région d'Aubagne. Vingtième incendie depuis le début de l'été.

Selon des témoins sur place, un incendie, probablement d'origine criminelle, aurait éclaté peu avant 16 h 10 après le passage d'un groupe d'adolescents inconnus dans le village.
L'alerte a été donnée à 16 h 10 par le patron du bistrot du petit bourg. De sa terrasse il dit en effet avoir vu une fumée « *suspecte* » s'étendre sur la colline d'en face.
La mobilisation des pompiers de la région a alors été immédiate. Arrivés nombreux d'Aubagne, Gémenos, Roquevaire, La Bedoule et Auriol les pompiers sont venus à bout du sinistre en une heure grâce aussi à l'absence de Mistral annoncé cependant en fin de journée.
Malgré cette forte mobilisation, 1 500 à 2000 m² de colline ont été brûlés. On calcule des dégâts d'un montant approximatif de 5 000 euros et il faudra environ cinq ans pour que les arbres et le maquis qui recouvraient la colline repoussent.
Les villageois se posent à nouveau des questions sur la nécessité de fermer l'entrée au public dans les zones à risque pendant cette période de l'année. Le maire souligne à cet égard que « *le nombre de personnes qui se promène pendant les mois d'été dans la région est l'une des causes de ces accidents* » et il ajoute qu'il suffirait de régler les heures de promenade dans les zones à risque en évitant les heures les plus chaudes de la journée.

E Rédaction libre. Fondez-vous sur tous les éléments que vous avez analysés/travaillés dans ce chapitre.

F Rédaction libre. Fondez-vous sur tous les éléments que vous avez analysés dans ce chapitre et travaillés dans les activités de A à D.

G Exemple d'article à partir du Texte 14.

« J'ai toujours eu de grands rêves »

Minuit, dans la nuit de vendredi à samedi. La cérémonie des Césars vient de s'achever sur le triomphe attendu de Marion Cotillard qui se repose dans une suite de l'hôtel Crillon où nous l'avons rencontrée.

Le film « La môme » sur la vie d'Édith Piaf a beaucoup marquée Marion Cotillard sur le plan personnel, mais il a également changé son existence d'actrice. Jouer dans ce film lui a permis avant tout d'avoir un de ces rôles qui font rêver – son premier grand rôle – et lui a donné à nouveau le goût du jeu après une parenthèse pendant laquelle elle avait même pensé arrêter ce métier.
Mais ce film lui a surtout permis d'être connue et appréciée aux États-Unis ! Ainsi, à la veille de son départ pour Los Angeles où elle assistera à la cérémonie des Oscars, elle se dit « hyperheureuse » de sa nomination mais elle parle surtout de l'aventure qu'elle est en train de vivre dans ce pays, notamment la réalisation d'un film avec Johnny Deep et un autre avec Catherine Zeta-Jones.
Marion Cotillard nous avoue cependant que même si cette nomination aux Oscars comme meilleure actrice la fait rêver, le César de ce soir a été sa plus belle récompense parce que c'est la France son pays, sa langue et ses rêves de cinéma !

H Exemple d'interview.

Le nouveau livre de la romancière préférée des Français ne sortira en librairie que le 11 mars. Mais on sait déjà beaucoup de choses sur La Consolante *qui sera, sans aucun doute, l'une des meilleures ventes de l'année.*

Lire a été le premier magazine à pouvoir s'entretenir avec la romancière avant la sortie de son dernier roman. Elle nous reçoit dans un petit bistrot de son quartier qui correspond à son image : simple, discrète, généreuse...

Lire : Les lecteurs attendent avec impatience la sortie de *La Consolante* comme de tous vos autres livres d'ailleurs. Peut-on parler de « phénomène Gavalda » ?

Phénomène, moi ? (rires). Non, je ne me sens pas du tout comme cela ! Je crois tout simplement que les lecteurs aiment bien les sujets que je traite et mon style : directs et francs. Je pense aussi que c'est une bonne formule de parler d'eux et de ce qui se passe autour d'eux sans trop de blabla.

Lire : Ce n'est pas alors un peu cruel de faire planer le mystère sur ce nouveau roman que vous avez tenu secret si longtemps ?

À l'heure actuelle, on fait beaucoup trop de publicité avant qu'un livre (ou un film, ou autre...) ne sorte. Je ne pense pas que cela soit vraiment nécessaire, mais surtout je ne suis pas sûre que cela puisse aider au succès... Il faudrait laisser plus de place à l'imagination des lecteurs, susciter chez eux l'intérêt et pourquoi pas, justement, le mystère avec des moyens plus simples qui les touchent – peut-être – plus directement.

Lire : Votre éditeur annonce un tirage de 300 000 exemplaires de votre bouquin. Cela ne vous semble-t-il pas énorme pour un roman dont on ne connaît pratiquement que le titre ?

C'est encore une démonstration de confiance que j'apprécie beaucoup (elle sourit et allume une cigarette). Mais pour les tirages, je préfère ne pas me mêler, mon éditeur a carte blanche... les chiffres ne sont pas ma tasse de thé !

Lire : Il faut dire aussi que vous savez chouchouter vos troupes. On dirait que vous aimez rencontrer vos lecteurs un par un.

Bien sûr ! Les lecteurs, mais aussi les libraires, sont mes premiers prescripteurs. J'adore les rencontrer, échanger quelques mots avec eux, bref les connaître un peu plus à chaque sortie de roman.

Chapitre 6
La critique

A Texte 1

Dans cette critique, la journaliste relate dans les détails ce qui se passe dans le roman sans ajouter de commentaires personnels, ni de jugements de valeurs subjectifs.

En conséquence, les adjectifs employés pour donner une opinion sur le roman (*terrible et magnifique, surnaturel et déstabilisant*) ainsi que le jeu de mots (*inspiré et inspirant*) doivent être jugés, dans ce contexte, comme se situant vers le pôle « objectivité ».

L'on remarque cependant la présence de l'auteur à deux reprises : *oui* et (*les sauvages !*) avec un point d'exclamation, mais que la journaliste met entre parenthèses pour signaler au lecteur qu'il s'agit bien d'un commentaire personnel.

Sauvages de Mélanie Wallace

« Sauvages », oui, mais aussi possédées par l'esprit de l'Histoire, tels sont les personnages dont Mélanie Wallace nous invite à suivre la trajectoire. Un premier roman inspiré et inspirant.

Il faut se les représenter, ces soldats et ces chevaux, abandonnés au lendemain de la guerre de Sécession dans cet avant-poste fantôme que nulle armée ne vient relever de sa mission désormais inexistante. Les vivres s'épuisent, les hommes désertent, le soleil du désert américain les grille à petit feu. Hors du temps et des réalités, le major Cutter divague et, las de diriger ses troupes, écrit des lettres magnifiques à son épouse adorée, la belle Lavinia, qui jamais ne lui répond. Bientôt font leur entrée sur la scène de théâtre d'ombres deux femmes rescapées d'une ultime bataille. Prisonnières des Indiens pendant quatre ans, elles reviennent du pays des morts. L'une, Abigail Buwell, y a apparemment laissé sa tête. Mais la trahison est partout sauf où on croyait la trouver. **À travers les visions hallucinées et les souvenirs fragmentaires de la jeune rebelle s'écrit une histoire terrible et magnifique.** Déshumanisée par son expérience de fillette abandonnée, abusée par tous, témoin et victime de scènes innommables, c'est chez les Indiens **(les sauvages !)** qu'elle a rencontré la paix de la nature, l'amour des cheveux et d'un homme, le bonheur d'être femme. Elle rejette violemment la civilisation, et, bientôt, c'est la société qui ne voudra plus d'elle. **On lit le livre de Mélanie Wallace comme on ferait un rêve. Pas question d'en sortir avant son aboutissement, si surnaturel et déstabilisant soit-il.**

Elle, 6 août 2007.

Texte 2

La subjectivité de cette critique est rendue par l'emploi simultané de différents procédés qui ont principalement recours à des oppositions. Plus particulièrement :

- **L'emploi de termes superlatifs ou à valeur superlative :** *surmulot surdoué ; décor magnifique ; orchestre gastronomique ;* etc.
- **L'emploi de termes positifs/négatifs avec un effet de surprise :** *rat d'égouts/roi du goût ; rat/gourmet ; cafard/caviar ; un rat/3 étoiles ; esprit/appétit ;* etc.
- **L'emploi de ce que l'on pourrait appeler des expressions/tournures imagées en relation avec le thème du film :** *le plat du jour que nous proposent ces studios est de ceux que l'on savoure ; ce film d'animation en 3D et cinq sens ; cette « Ratatouille » cinématographique ; un Paris appétissant comme une tarte ; les toques stars/les rock stars.*

Rat d'égout, mais roi du goût

Ratatouille, de Brad Bird

Certains voient le jour doté d'un coup de crayon infaillible, d'autres pourvus de l'oreille absolue, certains encore, équipés d'un « nez » très au parfum. Rémy, lui, est un surmulot surdoué pour analyser les saveurs et les marier avec raffinement. Autant dire que ce rat gourmet ne goûte guère le rata d'ordures dont se rassasient ses congénères. Alors, le jour où ce rongeur fait irruption dans la cuisine d'un grand restaurant, il sait qu'il a enfin trouvé sa place dans ce bas monde. Toutes les victuailles sont autant de notes dont il veut faire des symphonies. C'est décidé, il sera chef d'un orchestre gastronomique. Mais un rat dans un 3-étoiles, c'est pire qu'un cheveu dans la soupe, qu'un cafard dans le caviar ! Alors, il se dissimule dans la toque d'un jeune gâte-sauce dont il devient l'ami. Le rongeur trouve un moyen tiré par les cheveux de guider les mains malhabiles du marmiton. Leur association fait recettes, mais bien des dangers guettent, dont un patron teigneux, un critique dédaigneux, des services d'hygiène pointilleux... Certains esprits taquins trouveront sans doute un parallèle entre le rapprochement Pixar-Disney et le tandem vedette du film, mais le plat du jour que nous proposent ces studios est de ceux que l'on savoure, la serviette coincée dans le col et un sourire béat aux lèvres. Ce film d'animation en 3D et cinq sens ouvre à la fois l'esprit et l'appétit. Nappés d'une sauce contenant tous les ingrédients du film d'aventure – poursuites, périls divers et avariés, coups de théâtre et coups de feu en cuisine –, servie à un rythme effréné, cette « Ratatouille » cinématographique est présente dans un plat au décor magnifique, un Paris appétissant comme une tarte. Pas un Paris de carte postale, mais de carte de restaurant. Irréprochablement réalisé et scénarisé, ce film d'animation risque bien d'animer certaines vocations chez les jeunes spectateurs qui, désormais, vont à coup sûr applaudir les toques stars autant que les rock stars.

Paris Match, 2 août 2007.

B Texte 3.  **Pas mal**

Voleur de chevaux
film franco-belge de Micha Vlad
Vers 1810, un jeune Cosaque quitte son régiment pour retrouver les deux frères qui ont tué son cadet et volé leurs chevaux. Une histoire d'honneur et de vengeance, filmée dans de beaux paysages, avec un minimum de dialogues et quelques maladresses. L'auteur reste loin de ses modèles (Ridley Scott ou Kurosawa), mais tente d'imposer un univers et affirme des ambitions.

Le Monde, 14 novembre 2007.

Texte 4. ☺ **Très bien !**

Once
Il y a rarement de semaines si riches en bons nouveaux films. Pourtant, le choix de mettre en coup de cœur cette romance irlandaise tournée en deux semaines et demie, qui a l'air d'avoir été bricolée entre copains dans le fond d'un garage avec trois bouts de ficelle, une guitare trouée, un studio et deux voix incroyablement émouvantes, s'est imposé en force. Cette petite production cinématographique inattendue a déjà séduit les États-Unis où le film bat des records d'entrées et de ventes des disques, cinq mois encore après sa sortie. Parce qu'une chose est sûre : quand on sort de la salle, il continue de nous chanter dans la tête longtemps après et on ne pense qu'à écouter le disque avec ces voix qui nous enveloppent. C'est un vrai bijou de film musical, où la mélodie et les paroles des chansons soutiennent l'intrigue qui est en train de se nouer sous nos yeux. Tout est absolument délicieux et délicat. Pourtant, sur le papier, cela peut sonner faux : une love story entre une jeune fille tchèque qui vend des roses pour survivre et un jeune homme à la barbe rousse, réparateur d'aspirateurs le jour et chanteur de rues à ses heures perdues, avec sa guitare et son chagrin d'amour en bandoulière. Chacun va guérir les blessures intimes de l'autre et ils n'ont même pas besoin d'avoir un nom pour qu'on se souvienne de leur rencontre. Une très jolie ballade romantique sans une seule fausse note !

Elle, 12 novembre 2007.

Texte 5. ☹ **À ne pas voir !**

Evan tout-puissant
Après Jim Carrey, c'est au tour de l'acteur Steve Carell d'être tout-puissant. Malheureusement, le résultat est plutôt « Evan tout-barbant » ! Dès les premières minutes, on sent que la machine à rire ne va jamais démarrer. Même Steve Carell, en politicien chargé par Dieu de construire une arche de Noé, d'habitude si talentueux, ne parvient pas à nous faire décrocher un sourire. La lourdeur du scénario, aux ralentis puritains et religieux, ne laisse aucune chance au film de proposer des situations comiques d'anthologie attendues dans ce type de comédie. Avec cette arche-là, c'est l'apocalypse.

Fémina, 12 août 2007.

Texte 6. 😐 **À voir**

D'un enfer à l'autre
Les promesses de l'ombre offre une plongée dans la mafia russe, au cœur d'un Londres multiethnique. Cette immersion, le spectateur la vit à travers les yeux d'Anna (Naomi Watts), une sage-femme bouleversée par la mort d'une jeune fille qu'elle a aidée à accoucher. Décidée à retrouver la famille du bébé à l'aide d'un journal intime écrit en russe. Anna rencontre Semyon (Armin Mueller-Stahl). Ce propriétaire d'un paisible restaurant sibérien n'est d'autre qu'un mafieux à la tête d'un réseau de prostitution et faisant partie de la société secrète des Vori v'zakone. Autour de lui gravitent son fils Kirill (Vincent Cassel), un alcoolique en quête d'amour paternel, et Nikolaï, un chauffeur mystérieux (Viggo Mortensen). Anna va ainsi mettre sa vie et celle de sa famille en péril.

Après le succès autant critique que public de *A History of Violence*, David Cronenberg livre avec Les promesses de l'ombre un thriller plus conventionnel. Mais ces deux longs métrages ont des points en commun. Le réalisateur canadien scrute à nouveau la crise de la structure familiale. David Cronenberg retrouve Viggo Mortensen, qui, dans le rôle d'un homme opaque, offre une présence corporelle impressionnante. Ensemble, le cinéaste et l'acteur continuent d'explorer un monde contaminé par la violence. Comme dans cette étonnante scène de sauna, dans laquelle Mortensen, nu, à la fois vulnérable et sauvage, doit résister à deux assaillants armés.
Par ailleurs, on retrouve dans ce film l'éternelle obsession du réalisateur de *La mouche* ou de *Crash* pour les transformations corporelles. Le cinéaste est ici fasciné par les tatouages des Vori v'zakone, un rituel servant à montrer leurs faits d'armes et de leur grade. Si ce long-métrage sonne ainsi comme du pur Cronenberg, il laisse entendre un optimisme rare chez le cinéaste, en s'achevant sur une note lumineuse. Même l'ombre a ses promesses.

Direct Soir, 6 novembre 2007.

Texte 7. ☹ **À ne pas voir**

La vie intérieure de Martin Frost Film américano-portugais de Paul Auster
Dans une maison de campagne, un écrivain new-yorkais rencontre une jeune femme qui se révèle être sa muse. Les lecteurs d'Auster retrouveront la trace fictive de ce film dans le *Livre des illusions*. Ici Auster se prélasse dans les clichés avec une naïveté et un nombrilisme gênants.

Le Monde, 14 novembre 2007.

Texte 8. 😐 **Pas mal**

La chambre des morts d'Alfred Lot
Bien que le genre du thriller ne soit pas une spécialité française, de courageux volontaires s'y collent régulièrement. On accordera à ce « Silence des agneaux » frenchie au moins un point pour la témérité de la tentative. Puis on goûtera soigneusement tous les ingrédients d'une recette qui a déjà fait ses preuves : les crimes de maniaque avec souffrance infligée à des victimes particulièrement attachantes et vulnérables ; les flash-back à la frontière du fantastique et d'une esthétique un brin énervant ; une « profileuse » fascinée par les serials killers et douée d'une intuition trop inquiétante pour ne pas être explicable par un sale traumatisme d'enfance ; la tension qui monte, qui monte... O.K., on l'avoue, on a eu très peur !

Elle, 14 novembre 2007.

C Texte 9

Ci-dessous les éléments négatifs que vous devrez changer/reformuler dans le passage de la critique négative à la critique positive que vous allez rédiger.

La cuistrerie d'un petit maître
Un chapeau de paille d'Italie, une pièce d'Eugène Labiche et Marc-Michel
Qu'est-il allé faire dans cette galère ? C'est la question que l'on aimerait adresser à l'un des plus brillants des sociétaires de la Comédie-Française, Denis Podalydès, qui, interprétant Fadinard, le héros d'*Un Chapeau de paille d'Italie*, accepte de se plier aux sottes décisions d'un metteur en scène qui ne craint pas de suspendre la citation d'un ouvrage de Gilles Deleuze au-dessus de son travail, de se référer au grand Flaubert, au caustique Léon Bloy, bref, de faire étalage de son petit outillage de dramaturge pour nous infliger un désastreux spectacle. Rien ne devrait pourtant nous étonner, puisque Jean-Baptiste Sastre est coutumier du fait. Lorsqu'il tente de nous rendre sensible *Temerlan le Grand* de Marlowe et qu'il nous enfume, littéralement, on se dit qu'au moins il s'est intéressé à une pièce très peu jouée. Mais, lorsqu'il déballe son mieux-disant culturel à propos d'un ouvrage très souvent joué et dont la construction impeccable n'appelle qu'un malicieux respect, il montre sa cuistrerie de petit maître avec un aplomb désolant. Il fait plus, cet esprit fort : il dévoile le dénouement dès les premières minutes. C'est-à-dire que, lorsqu'il démolit d'entrée de jeu *Un chapeau de paille d'Italie*, il est l'un de ces pervers qui vous racontent la fin du film ou d'un roman à suspens... Il proclame ainsi qu'il n'a rien à faire de la pièce !
La débauche inutile des décors dispendieux, les grimages et postiches grotesques, le lent mouvement d'une noce qui se perd dans l'espace immense de la grande salle de Chaillot qu'il dénude entièrement en encombre d'un fatras aussi pesant que sa pédanterie, tout est consternant, ennuyeux, plombé. Jusqu'au jeu des acteurs qui s'égosillent en vain et dont on préfère oublier qu'ils se sont fourvoyés. Quant aux producteurs qui s'entêtent à faire confiance à Jean-Baptiste Sastre, on préfère aussi les oublier, mais on ne leur pardonne pas.

Le Figaro, 19 novembre 2007.

D et E. Rédaction libre. Fondez-vous sur tous les éléments que vous avez analysés dans ce chapitre et travaillés dans les activités de A à C.

Chapitre 7
L'éditorial

A Texte 4

Thèmes traités

- Les tendances de la mode;
- Les nouvelles adresses pour garder la forme;
- Un portrait de l'actrice Emma de Caunes;
- Le quartier d'Aligre;
- Les adresses vintage pour le shopping;
- Une sélection de spectacles;
- Les adresses des bar-clubs pour danser.

Procédés linguistiques utilisés

- Emploi du « nous » pour parler de la revue et des choix de la rédaction (lignes 1-5-11);
- Emploi du « vous » tantôt inclusif, tantôt pour s'adresser aux lectrices (lignes 3-5-7-14);
- Emploi du « on » avec la valeur de « nous » (ligne 7);
- Une seule récurrence du pronom « je » (ligne 16);
- Emploi du présentatif « c'est » (ligne 7);
- Présence de « traces d'oralité » (discours direct) notamment avec l'emploi de l'adresse directe: « je vous ai tout dit » (ligne 16), « Alors, c'est à vous » (ligne 16), mais aussi avec l'utilisation des points de suspension (lignes 13 à 16).

Texte 5

Thèmes traités

- Condamnation par la justice du quotidien *Le Parisien* pour avoir utilisé les titres « *Ils sont bons et pas chers* » et « *Quatre bouteilles de rêve* » en parlant du vin.

Procédés linguistiques utilisés

- Emploi du « on » avec valeur inclusive avec (ligne 15);
- Emploi du « nous » avec valeur inclusive (ligne 2);
- Emploi du « vous » pour s'adresser aux lecteurs (ligne 8);
- Emploi de phrases interrogatives (ligne 9) et de questions rhétoriques (ligne 13);
- Emploi de phrases exclamatives (ligne 8);
- Emploi de la nominalisation (lignes 1-11);
- Emploi du présentatif « c'est » (lignes 1-10).

B Texte 6

Éditorial

L'assemblée générale des Nations unies a proclamé 2008 Année internationale des langues ***insistant sur le fait que la connaissance des langues est essentielle à la coexistence pacifique des peuples et à leur progression vers un développement durable.*** *Les langues constituent le premier maillon de l'articulation harmonieuse*
5 *entre le global et le local.* ***Cette question du plurilinguisme*** *nous* ***préoccupe particulièrement,*** *c'est pourquoi* Le français dans le monde *a décidé de lui consacrer une grande partie de ce numéro* ***qui pourra utilement servir pour préparer le concours*** Allons en France *2008.*

Dans le Dossier, nous examinons le plurilinguisme en action; dans le Point didactique, les expériences
10 *d'enseignement qui s'appuient sur la volonté d'entreprendre une éducation plurilingue. Tous les individus sont concernés par cette cause,* ***et en premier*** *lieu les enseignants. Les professeurs,* ***quelle que soit la discipline qu'ils enseignent, et s'il s'agit des langues, quelle que soit la langue qu'ils enseignent (langue maternelle ou langue étrangère), devraient avoir à cœur de se muer en ardents défenseurs du plurilinguisme.***

Les chefs d'établissement ont, *eux aussi, un rôle particulièrement important à jouer dans cette croisade,*
15 *eux qui peuvent permettre à plusieurs langues vivantes d'exister dans un même établissement, eux qui peuvent nommer un coordinateur des langues chargé de faire vivre l'équipe naturellement constituée par les professeurs de langues vivantes. L'adoption généralisée du Cadre européen commun de Référence, instrument spécifiquement conçu dans une perspective plurilingue, devrait donner une impulsion aux initiatives allant dans ce sens. Enfin, le plus important reste de convaincre* les parents *que l'élargissement*
20 *des connaissances aussi bien que les chances de réussite de leurs enfants passent par la connaissance non pas d'une seule, mais de plusieurs langues étrangères.*
Alors bonne année du plurilinguisme à tous !
Françoise Ploquin, FLDM, n° 355.

Françoise Ploquin, *FLDM*, n° 355.

La fonction « informer » se réalise ici par le biais de quelques procédés linguistiques et textuels significatifs, notamment :
- l'emploi du « nous » pour expliquer les choix de la rédaction (ligne 5) ;
- la *thématisation* qui se fait sur tous les acteurs concernés par la diffusion du plurilinguisme (lignes 11-14-19) ;
- un lexique qui se veut neutre/objectif ;
- l'*allure didactique* du texte qui donne aux lecteurs des informations/explications sur un certain nombre de points, plus particulièrement : sur l'année internationale des langues (lignes 1-2) ; sur les acteurs concernés par le plurilinguisme et sa diffusion (lignes 10-21) ; sur ce que c'est le *Cadre européen commun de référence* (lignes 17-18-19).

Tous ces procédés ont été soulignés dans le texte.

Texte 7

L'actualité de l'IUFM de l'académie de Montpellier et celle de la formation des enseignants, de manière générale, sont riches de nouveautés et de projets, mais aussi empruntes d'incertitudes diverses : **les perspectives de recrutement aux concours et d'exercice des métiers de l'enseignement, le devenir des structures de formation existantes et** les rudes attaques verbales **dont elles**
5 **font l'objet,** la multiplication des tâches et des sollicitations auxquelles les formateurs sont soumis, **tout cela peut engendrer** une certaine morosité et le sentiment d'une injuste reconnaissance du travail accompli. **Dans ce contexte,** la publication d'*Osmose* vient apporter sa réponse, celle d'une institution au service des politiques éducatives publiques, d'un établissement universitaire tourné vers la recherche et la professionnalisation, d'une communauté professionnelle engagée
10 dans l'amélioration de la formation des enseignants.

C'est autour d'un dossier sur la violence scolaire que se décline la présente édition. À la croisée de multiples chemins, l'identification des violences dans le car de l'école et leur traitement dans la relation pédagogique sont, parmi d'autres, de ces questions complexes qui traversent le système éducatif. Elles **ne peuvent se résoudre dans des solutions simplificatrices et expéditives.**
15 Elles **ne peuvent non plus se satisfaire des seules explications savantes, quand bien même leur justesse est avérée.** Elles **peuvent encore moins se trouver écartées, dans un déni scandaleux qui annulerait la réalité avec une mauvaise foi confortable.** Modestement, l'IUFM propose des « dispositifs » et, si ce terme a un sens, il faut y voir un ordonnancement de réponses partielles qui allient réflexion et action, comme le soulignent divers témoignages. **Replacer la violence dans des**
20 **contextes sociologiques, psychologiques et institutionnels ; la situer dans le cadre de la relation pédagogique, de l'intervention éducative, la traiter dans une perspective citoyenne, tels sont les éléments proposés dans ce dossier,** sans langue de bois, avec derrière chacun de ces termes des concepts précis et des actions pertinentes.

Ce numéro reprend en outre les principales informations qui jalonnent depuis plusieurs mois
25 **la vie de l'établissement, des relations internationales aux actions culturelles. Les sites sont présents à travers leurs activités et leur identité. Chacun y reconnaîtra les siens, et je veux faire le pari que tous se reconnaîtront, dans ces événements du quotidien qui fondent notre commune adhésion à un projet de grande ampleur, celui d'améliorer la formation des enseignants.**

Patrick Demougin, Directeur, *Osmose*, mai 2006.

La fonction « sensibiliser » se réalise ici surtout par le **choix du vocabulaire**: mots, combinaisons de mots, expressions qui opposent des traits négatifs (qui restent sans sujet explicite) à des traits positifs (les actions et les réponses données aux problèmes évoqués par l'établissement).

Tous ces choix ont été soulignés dans le texte.
L'on remarque aussi quelques procédés linguistiques significatifs:
- la *thématisation* sur l'établissement ou sur les actions positives mises en place par l'établissement (lignes 1-7-17-18);
- l'emploi de la nominalisation (lignes 1-7-24);
- l'emploi du pronom « elles » (lignes 14-16) qui renvoie au thème central du numéro: les violences scolaires;
- une seule récurrence du pronom personnel « je » (ligne 26).

Texte 8

STRESS AU TRAVAIL

« Le stress au travail, cette épidémie invisible »

CE N'ÉTAIT pas trop tôt. **En annonçant hier qu'une grande enquête nationale portant sur le stress au travail allait être lancée et** qu'une « veille épidémiologique » sur les suicides au travail serait mise en place dès 2009, **Xavier Bertrand n'a pas fait preuve de rapidité. Le 18 octobre 2005, alors qu'il était ministre de la Santé, on lui remettait déjà un rapport faisant la synthèse des travaux de six commissions dont l'une, intitulée « Violence,**
5 **travail, emploi et santé ».** Or, la question du stress au travail n'a cessé de monter en puissance ces dernières années. La liste s'allonge, trois suicides chez Renault, six chez PSA, quatre à la centrale de Chinon, un à la Poste, un à la BP. Hier encore, on a appris qu'un salarié employé par un prestataire de services travaillant au Technocentre de Renault, s'était suicidé le mois dernier à son domicile, **cette annonce intervenant le jour où le directeur des ressources humaines du groupe Renault estimait lors d'une conférence de presse, que l'entreprise**
10 **était sur « la bonne voie » concernant les conditions de travail à Guyancourt.** Selon une source syndicale, un technicien d'intervention de France Télécom de 52 ans s'est pendu dans un bureau du central téléphonique d'Amboise mardi. Il ne fallait pas être grand clerc pour se rendre compte de la dimension prise par ce problème du stress au travail. **La France n'est-elle pas le pays le plus grand consommateur de tranquillisants? L'Institut national de Recherche et de Sécurité estime que** 400 000 maladies et 3 à 3,5 millions de journées de travail
15 sont provoqués par le stress professionnel. Les raisons? **La précarité des emplois qui met le salarié dans un rapport permanent de dépendance, la course à la productivité accentuée par des actionnaires qui veulent des taux de profit souvent inatteignables.** En France, la norme du taux de profit se situait autour de 2 à 4 % jusque dans les années 80. Dans les années 90, la finance réclame 10 % de taux de rentabilité, puis au début des années 2000 on passe à 15 %. Désormais on tend vers l'exigence des 20 %! Une situation aggravée parce
20 qu'en France, nous avons le taux d'activité des seniors le plus faible d'Europe et le taux d'inactivité des jeunes le plus fort. Résultat, le travail pèse sur les mêmes personnes: les 30-55 ans. Si vous n'êtes pas convaincus, je vous conseille ce soir sur France 2 « Travailler à en mourir », qui met en lumière cette « épidémie invisible » qu'est la souffrance dans l'entreprise.

Jean-Marcel Bouguereau, *Nouvel Obs*, 13 mars 2008.

La fonction « dénoncer » se réalise ici par le biais de quelques procédés linguistiques et textuels significatifs, notamment:
- l'emploi du « c'est » présentatif (ligne 1);
- l'emploi de tournures impersonnelles: « il ne fallait pas... » (ligne 12);
- la *thématisation* qui se fait essentiellement sur le thème abordé (lignes 1-5);
- l'emploi du pronom « on » avec valeur indéfinie (ligne 3) ou encore inclusive (nous + vous) (ligne 7);
- l'emploi du pronom « nous » avec une valeur particulière: nous = les Français (ligne 20);
- l'emploi du pronom « vous » (= vous les lecteurs) en alternance avec le « je » (ligne 21);
- l'emploi de phrases interrogatives (lignes 13-15) et exclamatives (ligne 19);
- nous remarquons également le recours à des chiffres/pourcentages dont le but est de montrer les dérapages du stress au travail dans le temps (les années 80, les années 90, les années 2000 et l'urgence de résoudre au plus vite ce problème social).

Tous ces procédés ont été soulignés dans le texte.

C Exemple de production

[...] Véronique Jannot, comédienne engagée, est devenue l'une des porte-parole de l'Unicef pour que les populations du Niger puissent avoir accès à cet or liquide. Dans son interview, elle explique comment on peut contribuer à ce miracle. Un geste simple qui redonne vie à des régions entières (*Femme Actuelle*, 17-23 mars 2008).
Mais comment s'y prendre dans la vie de tous les jours pour sauvegarder ce bien précieux qu'est l'eau ?
Le dossier de ce numéro consacre cinq pages à ces gestes simples qui permettent d'économiser de l'eau dans notre quotidien sans nous trop prendre la tête (p. 58-62). Nous partirons aussi pour l'Auvergne (p. 70) pour voir de quelle manière de jeunes agriculteurs ont décidé de s'engager dans ce combat et quelles sont les mesures qu'ils ont mises en œuvre pour éviter tout gâchis d'eau depuis la grande sécheresse qui les a touchés en 2003 (rappel à la p. 72).
En somme, un numéro qui, je l'espère, nous fera réfléchir et – qui sait ? – nous fera prendre de bons réflexes !

D Rédaction libre. Fondez-vous sur tous les éléments que vous avez analysés dans ce chapitre et travaillés dans les activités de A à C.

E Rédaction libre. Fondez-vous sur tous les éléments que vous avez analysés dans ce chapitre et travaillés dans les activités de A à C.

Chapitre 8
La lettre de motivation

A Proposition de corrigé :

	Ce qui va	Ce qui ne va pas
La forme de la lettre de motivation	➔ Coordonnées complètes ➔ Place des coordonnées ➔ Virgule après « Madame »	➔ Courrier non daté ➔ Absence d'objet ➔ Signature à gauche ➔ Absence de paragraphes
Le fond de la lettre de motivation	➔ Style approprié (niveau de langue) ➔ Orthographe soignée ➔ Grammaire soignée ➔ Atouts personnels mis en valeur ➔ Parcours professionnel mis en valeur	➔ Pas de fonction liée à la personne contactée ➔ Pas de rappel de la personne contacté dans la formule de congés ➔ Les tâches de l'interprète ne sont pas mises en valeur

B

STARAMIS

TÉLÉCONSEILLER H/F – CDD
Référence : **SXB/Téléconseiller**

Métiers : téléprospecteur/enquêteur, téléacteur, téléopérateur/téléconseiller/télévendeur.
Lieu de travail : Carrières-sur-Seine (78) - Saint-Ouen (93) - Boulogne-Billancourt (92).
Formation recherchée : de niveau Bac à Bac +2 Commercial, vous possédez une première expérience réussie dans la vente ainsi qu'un fort tempérament commercial, le sens de la négociation et le goût du challenge. Résistance au stress indispensable.
Autres : la connaissance des outils bureautiques standards est nécessaire.
Type de contrat : CDD (de 4 à 6 mois renouvelable).
Année d'expérience : de 6 mois à 2 ans.
Salaire : Fixe + primes.

Description du profil : expérience en centres d'appels (plus de 6 mois) idéalement en Émission d'appels (prise de rendez-vous, animation réseau ou télévente) cible pro ou particuliers. Bonne élocution, souriant(e), dynamique, et impliqué(e).

Description du poste : vous êtes en charge de la prospection sur une cible de clients et/ou prospects professionnels (directeurs informatiques, revendeurs,...) pour de la détection de projets informatiques, de l'avant-vente et de l'invitation à des journées portes ouvertes.

STARAMIS est un acteur stratégique du marché du télémarketing et des centres d'appels. Plus de 2 200 salariés, une croissance annuelle à deux chiffres s'appuyant sur quatre valeurs phares : confiance, respect, ambition et innovation. Rejoindre STARAMIS, c'est participer à un secteur d'activité en croissance dans lequel on peut tout à fait faire carrière. STARAMIS apporte à tous ses salariés une expérience professionnelle enrichissante et formatrice, véritable sésame vers les opportunités de poste au sein du groupe.
STARAMIS va vous permettre de découvrir un secteur d'activité passionnant. À travers un accompagnement quotidien sur le terrain et des plans de formations adaptés, nous privilégions l'évolution interne et disposons de collaborateurs compétents et efficaces, capables d'évoluer dans l'entreprise et de renforcer les équipes managériales ou d'évoluer vers les fonctions support.

C

BATEAUX PARISIENS

RÉCEPTIONNISTE H/F – CDI
Référence : **BR1/PJ**
Paris
Date : 25/09/2008

Bateaux Parisiens vous propose d'intégrer une équipe jeune et professionnelle dont le principal rôle est d'accueillir une clientèle différente chaque jour à laquelle vous proposez et vendez un service de prestige. Vous assurez l'accueil de notre clientèle internationale ainsi que la vente et la réservation de nos croisières, vous êtes en charge de recevoir et d'orienter les appels, de trier et d'expédier le courrier. Vous procédez également à l'encaissement avant chaque embarquement. Bateaux Parisiens vous offre la possibilité d'accomplir votre fonction au travers de missions variées : la routine fait place à la diversité !
Si vous n'aimez pas la routine et que vous souhaitez travailler dans un cadre féerique, venez rejoindre notre service relation clients !
Vous travaillez auprès d'une clientèle majoritairement étrangère à laquelle vous proposez du rêve...
D'excellente présentation, souriant(e) et dynamique, vous disposez d'un sens de l'accueil développé au cours d'une première expérience similaire. Vous parlez couramment anglais et faites preuve de rigueur, d'aisance avec les chiffres. Vous êtes disponible de 9 h à 21 h.
Salaire : 1 625 €/mois

http://www.parisjob.com/clients/offres_chartees/offre_chartee_modele.aspx?numoffre=54677&de=consultation

Plan proposé :
– Pourquoi vous répondez à une annonce de la société des Bateaux parisiens ?
– Quels sont les moments saillants de votre parcours académiques et les avantages dont vous avez bénéficié ?

– Quelles sont les professions que vous avez exercées et dont les activités sont en relation avec le point décrit ?
– Quels sont vos points forts liés à votre personnalité ?
– Formule de congé

D

BRIOCHE DORÉE
RESPONSABLES - ADJOINTS DE RESTAURANTS H/F – CDI
Toulouse
Date : 09/09/2008

Enseigne du Groupe Le Duff, Brioche Dorée est le leader de la restauration rapide de tradition française avec plus de 300 restaurants et 3 000 salariés.

Dans le cadre de notre développement, nous proposons des postes de Responsables et d'Adjoints de Restaurants pour renforcer nos équipes sur Paris, Île de France.

Rattaché au directeur régional ou au Directeur de Restaurant, vous assurez une rentabilité maximum du centre de profit et êtes garant du respect de la qualité et du service client. Vous agissez sur le terrain pour dynamiser les ventes, encadrer et motiver votre équipe (20 à 25 salariés).

De formation BTS/BTH, vous avez une expérience de 3 ans minimum dans une fonction de manager en restauration ou grande distribution. Poste évolutif grâce à votre goût du terrain, des challenges et votre sens du commerce.

Postes à pouvoir immédiatement.

Salaire : Non précisé.
Adresse : Merci de postuler par courriel sous la référence RSTA75789000

http://www.parisjob.com/clients/offres_chartees/offre_chartee_modele.aspx?numoffre=51455&de=consultation

Proposition de lettre de motivation en lien avec cette annonce.

John McKinnon
35, rue Nollet
75017 Paris
Tél. : 06 78 98 76
Courriel : JMcK@internet.com

Objet : Votre offre d'emploi
Réf. : RSTA75789000

Paris, le 10 octobre 2009

Madame, Monsieur,

L'annonce pour les postes de responsables et adjoints de restaurants parue sur Internet a particulièrement attirée mon attention. Je suis en effet disponible et très intéressé par les métiers liés à la vente au public dans le domaine de la restauration.

Diplômé d'une école de commerce aux États-Unis et titulaire d'un BTS français en vente-marketing, je souhaiterais vivement mettre à contribution mes connaissances pratiques et théoriques au profit de La Brioche Dorée. Ma double formation reçue aux États-Unis et en France dans le secteur des ventes est, je pense, un atout supplémentaire pour les activités internes de votre société et auprès de votre clientèle internationale.

Mon expérience professionnelle dans une chaîne de restauration rapide similaire à la vôtre dans mon pays d'origine m'a permis de me familiariser avec les produits, les procédures métier standardisées et la démarche qualité que l'on retrouve dans ce secteur. En tant que responsable adjoint d'un restaurant de cette chaîne, j'ai eu l'opportunité, par ailleurs, de me familiariser avec les activités liées à la vente, mais également à la comptabilité et à la formation des employés.

J'ai pu, enfin, au cours de mes expériences passées, m'assurer de mon goût pour les contacts avec la clientèle et mettre à profit mon sens du service et de l'organisation, ma résistance au stress ainsi que mes capacités de gestionnaire.

Fortement motivé d'intégrer votre groupe, leader sur le marché de la restauration rapide à la française, je me tiens à votre entière disposition pour vous rencontrer et vous exposer mes motivations de façon plus détaillée.

Je vous prie de croire, Madame, Monsieur, en l'expression de ma considération distinguée.

John MacKinnon

éditions didier s'engagent pour l'environnement en réduisant l'empreinte carbone de leurs livres. Celle de cet exemplaire est de :

700 g éq. CO_2

Rendez-vous sur www.editionsdidier-durable.fr

Achevé d'imprimer par La Tipografica Varese S.p.A. en octobre 2013

dépôt légal 6088/04